Glenn Scrivener

Wie die Luft, die wir atmen

Warum wir alle an Freiheit, Menschenwürde und Gleichheit glauben

Stimmen zum Buch

»Man muss kein Christ sein, um die Kraft von Glen Scriveners Argumentation in diesem ebenso engagierten wie unterhaltsamen Buch zu schätzen.«
—**Tom Holland,** Historiker und Autor von *Herrschaft: Die Entstehung des Westens*

»Ist christlicher Glaube überholt oder gar schlecht? Wer so denkt, ist wie ein Fisch, der Wasser als etwas Überflüssiges ansieht. Dieses Buch zeigt, dass das Leben und die Gedanken von Jesus Christus unsere Gesellschaft immer noch zutiefst durchdringen – sogar dort, wo manche einen Widerspruch vermuten. Wer unsere Kultur und unsere Werte verstehen will, muss Jesus verstehen.«
—**Dr. Alexander Fink,** Leiter des Instituts für Glaube und Wissenschaft (www.iguw.de)

»Dieses Buch ist ein fesselnder Streifzug durch die Geschichte, wie das Christentum unser ethisches Denken geprägt hat (ob wir das nun merken oder nicht) und warum es für uns alle wichtig ist, ob der christliche Glaube wahr oder falsch ist. Egal, wo Sie religiös gerade stehen, ich kann Ihnen nur empfehlen, sich anzuhören, was Glen Scrivener zu sagen hat!«
—**Rebecca McLaughlin,** Autorin von *Kreuzverhör*

»Glen Scrivener zeigt überzeugend auf, dass die westliche Welt nicht halb so postchristlich ist, wie wir gerne denken. Die Beweise und Folgewirkungen des biblischen Einflusses sind überall um uns herum zu finden – selbst unser Unglaube ist ›christlicher‹, als wir vielleicht denken. Dieses Buch ist ein echter Augenöffner.«
—**Sam Allberry,** Autor von *Ist Gott homophob?*

»Ein hervorragendes Buch! Das letzte Mal, dass ich eine so fesselnde christliche Apologetik las, war bei C. S. Lewis.«
—**Steve Holmes,** Theologieprofessor, *University of St. Andrews*

»Wir sehnen uns nach Gerechtigkeit, Freiheit und Gleichheit. Wir sind überzeugt davon, dass jeder Mensch es verdient hat, mit Fairness, Würde und Respekt behandelt zu werden – egal, wie reich oder arm, mächtig oder schwach er ist. Aber woher kommen diese Überzeugungen? Warum ist uns dies so wichtig? Was, wenn unsere Werte nicht so offensichtlich sind, wie wir meinen? Genau deswegen ist Glen Scriveners Buch ein absolutes Muss für jeden, der von der Demokratie und Bildung einer wohlhabenden Gesellschaft profitiert. Dieses Buch formuliert eine Basis für unsere gemeinsame Sichtweise. Es zeigt uns die Geschichte hinter unseren Werten. In diesem Buch lernen wir den Komponisten kennen, dessen Lieder wir singen.«
—**Sam Chan,** *Third Space* (thirdspace.org.au)

»In einem faszinierenden Streifzug durch Geschichte und Kultur, durch Theologie und Philosophie von der Antike bis zur Moderne zeigt Glen Scrivener uns ein christliches Erbe, das wir oft verachtet und ignoriert haben. Selbst für mich als Pastor hat die Lektüre einen Paradigmenwechsel bei solchen Werten wie Gleichheit und Mitmenschlichkeit, Freiheit und Fortschritt eröffnet. Dieses Buch ist ein Muss für jeden, der den Code für das entschlüsseln will, was in unserer Kultur gerade vor sich geht.«
—**Rico Tice,** Gründer von *Christianity Explored Ministries*

»Dies ist ein faszinierendes und Augen öffnendes Buch, voller Weisheit für unsere Zeit. Aber mehr noch: Es ist vollgestopft mit Hoffnung. Ein tolles Buch!«
—**Michael Reeves,** Vorsitzender der *Union School of Theology,*
Autor von *Gottesfurcht: Eine überraschend gute Nachricht*

»Brillant, faszinierend und definitiv lesenswert! Glen Scriveners Buch weist nach, wie das Christentum unsere westlichen Werte so geprägt hat, dass wir es nicht einmal mehr merken. Höchst empfehlenswerte Lektüre für Skeptiker, Suchende, Gläubige, Zweifler und für jeden, der sich fragt, warum es in der modernen Welt nach wie vor Sinn macht, Jesus nachzufolgen.«
—**Gavin Ortlund,** Autor von *Why God Makes Sense in a World That Doesn't*

GLEN SCRIVENER

Warum wir alle an Freiheit,
Menschenwürde und Gleichheit glauben

Glen Scrivener
Wie die Luft, die wir atmen
Warum wir alle an Freiheit, Menschenwürde und Gleichheit glauben

Best.-Nr. 271878
ISBN 978-3-86353-878-1
Christliche Verlagsgesellschaft Dillenburg

Best.-Nr. 180236
ISBN 978-3-85810-629-2
Verlag Mitternachtsruf, www.mnr.ch

Titel des englischen Originals:
The Air We Breathe
How We All Came to Believe in Freedom, Kindness, Progress, and Equality

Published by: The Good Book Company
www.thegoodbook.co.uk

Wenn nicht anders angegeben, wurde folgende Bibelübersetzung verwendet:
Elberfelder Bibel 2006, © 2006 by SCM R. Brockhaus in der
SCM Verlagsgruppe GmbH Witten/Holzgerlingen.
Außerdem wurden folgende Bibelübersetzungen verwendet:
Neue evangelistische Übersetzung (NeÜ), Neue Genfer Übersetzung (NGÜ),
Luther 2017 (LUT) und Neues Leben Bibel (NLB).

1. Auflage

www.cv-dillenburg.de

Übersetzung: Dr. Friedemann Lux

Satz und Umschlaggestaltung: Christliche Verlagsgesellschaft Dillenburg
Umschlagmotive: @ Canva Pro/gluiki (Wolke), moonnoon (Buchstaben)

GGP Media GmbH, Pößneck
Printed in Germany

Wenn Sie Rechtschreib- oder Zeichensetzungsfehler entdeckt haben,
können Sie uns gerne kontaktieren: info@cv-dillenburg.de

Inhalt

Für Julius – jetzt und
für immer unser JJ

Einleitung

Ein älterer Goldfisch begegnet
ein paar jungen Goldfischen.
Der Alte: »Na, wie ist das Wasser, Jungs?«
Die Jungfische: »Wasser? Was ist das – Wasser?«

Goldfische können kein Wasser sehen. Sie sehen natürlich, was *in* dem Wasser ist, aber ich nehme einmal an (ja, es ist eine Annahme; ich habe das nicht wissenschaftlich untersucht), dass sie das Wasser selbst nicht wahrnehmen. Aber es ist da. Es ist ihre Umgebung – allgegenwärtig, aber halt unsichtbar. Es prägt alles, was sie tun und was sie sehen, aber sie können *es* nicht sehen.

Womit wir bei der Grundthese dieses Buches sind: Wenn Sie zur westlichen Kultur, also zum sogenannten Abendland, gehören, dann sind Sie – auch wenn Sie nie eine Kirche betreten oder eine Bibel aufgeschlagen haben und sich selbst als Atheisten, Heiden oder Jedi-Ritter aus dem »Krieg der Sterne« betrachten – wie ein Goldfisch, und das Wasser, in welchem Sie schwimmen, ist das Christentum.

Man kann es auch so ausdrücken: Das Christentum ist wie die Luft, die wir atmen. Es ist unsere Atmosphäre, unsere Umgebung – unsichtbar, aber allgegenwärtig. Und jetzt bitte ich Sie, ganz in der Tradition eines geistlichen Lehrers (ich bin anglikanischer Pastor; das passt doch, nicht wahr?), ruhig zu werden und sich *auf Ihre Atmung zu konzentrieren*. Das ist eine Technik, die wir in vielen der großen religiösen Traditionen finden.

Ein spiritueller Lehrer fordert Sie nicht auf, mit dem Atmen anzufangen. Das können Sie schon längst; mit Ihren 20 000 Atemzügen pro Tag sind Sie ein Naturtalent! Aber es ist etwas anderes, *achtsam* zu atmen, jeden Atemzug bewusst wahrzunehmen. Tun Sie das gerade? Dann ist Ihr Atem gerade langsamer geworden. Sie merken, wie sehr Sie Luft brauchen und dass Sie einen Körper haben, der seine Rhythmen und Bedürfnisse und seine Leiblichkeit hat. Sie merken, dass um Sie herum eine Welt ist, mit der Sie verbunden sind und in der Sie einen Platz haben.

Dieses Buch ist ein wenig wie eine Atemübung. Aber ich rede nicht über Sauerstoff, sondern über Glaubensinhalte und Einsichten. Mein Ziel ist es, dass Sie Ihre Abhängigkeit von Ihrer Umgebung entdecken und Ihren Standort in der Welt der Ideen. Dieses Buch möchte Ihnen die Gelegenheit geben, innezuhalten und die zutiefst christliche Atmosphäre zu entdecken, in der Sie leben.

Ich höre, wie Sie protestieren: »*Christlich?* Ich habe nicht den Eindruck, dass die Welt, in der ich lebe, besonders christlich ist.« Nun, in diesem Buch werde ich genau das Gegenteil behaupten. Sie können selbst entscheiden, ob mir das gelingt, aber meine These ist: Wir sind von Werten und Zielen bestimmt (und von Denkweisen, wie wir Werte und Ziele reflektieren), die klar und deutlich und sehr tief von der Jesus-Revolution geprägt sind (auch als »Christentum« bekannt). Diese Werte sind mittlerweile so allgegenwärtig, dass wir sie als universell, selbstverständlich und natürlich betrachten: wie die Luft, die wir atmen.

In den folgenden zehn Kapiteln wollen wir uns das anschauen, was wir gemeinhin für selbstverständlich halten. Ich hoffe, dass alle Leser einen Nutzen davon haben werden, egal, wo sie religiös stehen. Ich möchte den möglichen Nutzen kurz darstellen, und zwar für drei typische Gruppen von Lesern.

Der Blick von außen: die Unreligiösen

Die Unreligiösen sind ein wachsendes Segment in den westlichen Ländern. Es sind die, die auf Fragebögen bei »Religion« »keine« ankreuzen. Vielleicht sind Sie das. Sie sagen: »Christentum? Was ist das noch mal?« Sie kennen sich nicht aus mit den Lehren des christlichen Glaubens. Sie sind interessiert genug, um dieses Buch zu lesen, aber Sie tun dies als jemand, der religiös völlig unmusikalisch ist. Meine erste Frage an Sie ist: Sind Sie sich da so sicher? Goldfische mögen keine Ahnung von den chemischen Eigenschaften von H_2O haben, aber es ist dennoch wesentlich für ihr Leben. Und so wette ich, dass die Themen der folgenden Kapitel eine Saite in Ihnen zum Klingen bringen werden: Gleichheit, Barmherzigkeit, Freiwilligkeit, Aufklärung, Wissenschaft, Freiheit, Fortschritt. Keiner dieser Werte ist selbstverständlich, und ihre Verbreitung unter den Kulturen dieser Welt ist begrenzt. Wo kommen sie her, und wie wurden sie zu der »Luft, die wir atmen«?

Wir können diese Frage mit vier Worten, in zwei Sätzen oder in zehn Kapiteln beantworten. Die Vier-Worte-Antwort lautet: durch den christlichen Glauben. Die Version in zwei Sätzen lautet etwa so:

> *Der durchschlagende Einfluss des Christentums zeigt sich darin, dass wir ihn nicht weiter bemerken. Wir haben sie bereits, die »christlichen« Einstellungen und Werte, und die Tatsache, dass wir sie als natürlich, selbstverständlich oder universal betrachten, zeigt, wie tief die christliche Revolution uns geprägt hat.*

Sie haben davon noch nie gehört? Sie finden es komisch, dumm oder anmaßend? Das ist okay; ich erwarte nicht, dass Sie mir spontan zustimmen. Vor mir liegt eine Menge Arbeit – daher ja die zehn Kapitel. Aber wenn Sie dabei sind, werde ich Sie gleich auf eine Reise von der Antike zur Moderne und vom Anfang der Bibel bis zum Ende der Menschheitsgeschichte mitnehmen. Ich hoffe, dass wir unterwegs etwas Spaß haben werden, dass Sie ein vertieftes Verständnis für Ihre Lieblingswerte bekommen, vor allem aber, dass Sie die Kraft und Tiefe von Jesus und seiner Revolution erkennen. Aber vorher möchte ich noch ein paar Worte zu den beiden anderen Lesergruppen sagen.

Der Blick zurück: die ehemals Religiösen

Vielleicht kennen Sie das Christentum sehr wohl, haben sich aber bewusst davon verabschiedet. Sie wollen nichts mehr davon wissen, dass der christliche Glaube die Luft ist, die Sie atmen. Sie sagen: »Das hab ich hinter mir gelassen.

13 Jahre Bekenntnisschule, vielen Dank auch!« Oder: »Ich habe mich als junge Frau mit dem christlichen Glauben befasst, und er hat mich nicht überzeugt.« Oder: »Früher bin ich in die Kirche gegangen, aber jetzt nicht mehr.« Ich nehme alle diese Fälle sehr ernst und respektiere die Gründe, warum der christliche Glaube nichts für Sie ist. Aber ich glaube nicht, dass Sie das Christentum *wirklich* hinter sich gelassen haben. Sie haben ja auch nicht mit dem Atmen aufgehört. Vom christlichen Glauben kann man nicht sagen: *Ja, damals …* Wie unsere Atemluft ist auch das Christentum so allgegenwärtig, dass wir nicht einfach ohne es leben können, selbst in den Momenten, wenn wir dagegen protestieren.

Wir können dem christlichen Glauben alles Mögliche vorwerfen: Diskriminierung, Grausamkeit, Zwang, Ignoranz, Wissenschaftsfeindlichkeit, Unfreiheit oder Rückständigkeit. Dies sind einige der üblichen Einwände gegen das Christentum, und manchmal liegen sie nicht falsch. Aber ich habe diese sieben Einwände nicht auf gut Glück gewählt. Sie sind einfach die Umkehrungen der sieben christlichen Kernwerte, die ich in diesem Buch vorstelle, und ihre Schlagkraft rührt daher, dass wir tief drinnen alle an diese sieben Kernwerte glauben. Unsere Probleme mit dem Christentum (und wir *alle* haben diese Probleme, vor allem aber die Christen!) sind eigentlich typisch *christliche* Probleme.

Wenn Sie also »mit dem Christentum fertig« sind, dann möchte ich Ihre Kritikpunkte ernster nehmen (und nicht weniger ernst). Ich möchte, dass Sie sich diesen Problemen stellen, denn wenn Sie diese Kernwerte neu entdecken, kommen Sie womöglich auch dem eigentlichen Wesen des christlichen Glaubens näher. Am Ende dieses Buches möchte ich Ihnen einige positive Schritte nach vorne zeigen – nicht, um Ihrer Kritik den Wind aus den Segeln zu nehmen, sondern um ihr einen Boden unter den Füßen zu geben.

Aber jetzt zu der dritten Lesergruppe.

Der Blick von innen: die Frommen

Vielleicht sind Sie Christ und betrachten ungläubig eine zunehmend zerrissene Welt. Sie fragen sich, wie es dazu kommen konnte, wie es weitergehen wird und ob Ihr Glaube, der so alte Wurzeln hat, Antworten für heute liefern kann. Ich möchte Ihnen die Augen dafür öffnen, dass das, was wir in unserer Welt erleben, die fortdauernden Nachbeben der Jesus-Revolution sind – einer Revolution, die vor langer, langer Zeit vorausgesagt, verkündet und in Gang gesetzt wurde und die wir noch heute in unserem Alltag erfahren. Ich hoffe, dass das Studium der Entwicklung dieser Revolution Ihren Glauben stärken und Ihnen Mut machen wird, ihren Weg weiterzugeben. Jesus Christus ist kein exotisches Randthema für ein paar Hobby-Theologen; er ist der Herr der Geschichte und der, der unserem Leben, unserem Glauben, unserem Tun und unserer Welt ihren Sinn gibt.

Was Sie erwartet

Hier ist das Programm der Reise, auf die ich Sie mitnehmen möchte. Als Erstes möchte ich Ihnen zeigen, dass die Luft, die wir atmen, eine ganz besondere Luft ist. Dazu müssen wir unsere gewohnte Umgebung verlassen. Ich wusste gar nicht, wie Australien duftet, bis ich ins Ausland ging. Die Luft in meiner Heimat riecht nach Eukalyptus, aber das merkte ich erst in den Jahren, die ich woanders verbrachte, und wenn ich heute wieder einmal zurück nach Sydney fliege, ist das Erste, was mir dort auffällt, dieses warme, leicht süßliche Aroma der Luft. Im nächsten Kapitel möchte ich mit Ihnen hinaus aus unserer vertrauten Umgebung gehen und eine Reise in die Antike machen, in die Welt vor dem Christentum. Wir werden merken, wie ganz anders die damalige Kultur und ihr Glaube, ihre Vorstellungen und Ideale waren. Wir halten unsere moderne, liberale westliche Weltsicht für selbstverständlich, aber andere Länder und andere Zeiten erzählen hier eine ganz andere Geschichte. Wie der Schriftsteller L. P. Hartley einmal sagte: »Die Vergangenheit ist ein fremdes Land, wo alles anders ist.«

Als Nächstes werden wir uns einigen der wichtigen Meilensteine im Lauf der Geschichte des Christentums zuwenden; wir wollen sieben Grundwerte betrachten, die zentral für das moderne Weltbild sind:

- **Gleichheit:** *Wir glauben, dass jedes Glied der Familie der Menschheit den gleichen moralischen Status hat, unabhängig von Rang, Rasse, Religion, Geschlecht oder Orientierung.*
- **Barmherzigkeit:** *Wir glauben, dass eine Gesellschaft danach beurteilt werden sollte, wie sie ihre schwächsten Glieder behandelt.*
- **Freiwilligkeit:** *Wir glauben, dass die Mächtigen kein Recht haben, den Schwächeren ihren Willen aufzuzwingen.*
- **Aufklärung:** *Wir sind überzeugt von Bildung für alle und von ihrer die Gesellschaft verändernde Kraft.*

- **Wissenschaft:** *Wir glauben an die Fähigkeit der Wissenschaft, uns die Welt besser verstehen zu lassen und unser Leben zu verbessern.*
- **Freiheit:** *Wir glauben, dass Menschen kein Besitz sind und dass jeder der Herr seines eigenen Lebens sein sollte.*
- **Fortschritt:** *Wir glauben, dass es möglich ist, die Gesellschaft im Laufe der Zeit weiterzuentwickeln, und dass es unsere Aufgabe ist, Missstände immer wieder neu zu beseitigen.*

Im Zentrum dieses Buches stehen diese sieben Kapitel. Wir bewegen uns dabei im Großen und Ganzen mit jedem Kapitel ein Stück weiter in die Zukunft, von den Anfängen, wie die Bibel sie beschreibt, bis heute, also vom 1. Buch Mose bis zu George Floyd[1]. Das Kapitel über Gleichheit blickt zurück ins Alte Testament, das Kapitel über Barmherzigkeit beschäftigt sich mit dem Wirken Jesu von Nazareth (im Neuen Testament). Das Freiwilligkeitskapitel skizziert die Entstehung der alten Kirche und ihre moralische Revolution, das Aufklärungskapitel zeichnet einige Entwicklungen zwischen dem Fall Roms 410 n. Chr. und der Reformation im 16. Jahrhundert nach. Das Kapitel über Wissenschaft konzentriert sich auf die Väter der modernen wissenschaftlichen Methode (16. und 17. Jahrhundert), das Kapitel über Freiheit geht auf die Abschaffung des transatlantischen Sklavenhandels und die Zeit danach (18. und 19. Jahrhundert) ein. Und im Fortschrittskapitel schließlich werden wir uns das 20. Jahrhundert anschauen, einschließlich seiner moralischen Monster (wie Adolf Hitler) und Helden (wie Martin Luther King).

Was Sie nicht erwartet

Sie werden es schon gemerkt haben: Ich schreibe dieses Buch aus einer sehr »abendländischen« Perspektive. Ich tue dies allerdings definitiv nicht, weil ich der Meinung wäre, dass »im Westen alles am besten« ist. Das ist es nicht. Wir werden auf unserer Reise furchtbaren Dingen begegnen, und selbst die »Erfolge« sind ziemlich gemischt. Wir sollten auch nicht vergessen, dass die Geschichte des Christentums viel globaler ist, als ich sie im Folgenden darstelle. Lange bevor sich das europäische Christentum in der Welt durchsetzte, hatte sich der Glaube im Süden und Osten ausgebreitet. Eines der ersten »christlichen« Länder der Welt war Äthiopien, und das Byzantinische Reich steht für eine tausendjährige christianisierte Zivilisation, die in vieler Hinsicht heller strahlte als ihr »jüngerer Bruder« im Westen.

Heute ist das Christentum das vielfältigste soziologische Phänomen, das die Welt je gesehen hat. Etwa ein Viertel der Christen lebt in Mittel- und Südamerika, jeweils ein Viertel in Afrika und in Europa; das letzte Viertel verteilt sich zu ziemlich gleichen Teilen auf Nordamerika und Asien. Dabei ist das Wachstum der Kirchen seit Längerem schon im Süden und Osten am stärksten. So ist die Christenheit in China in den letzten 40 Jahren pro Jahr um ca. 10 Prozent gewachsen; sollte dieser Trend anhalten, wird es bis 2030 mehr Christen in China geben als in den USA. Das Christentum ist *kein* »westliches« Phänomen.[2]

Warum konzentriere ich mich dann in diesem Buch auf den Westen? Aus zwei Gründen. Erstens hat der Westen die Welt zweifellos massiv geprägt, im Guten wie im Schlechten (und ja, wir werden uns auch das Schlechte ansehen). Ich selbst gehöre zu der weltweiten anglikanischen Gemeinschaft, dem drittgrößten Kirchenverbund der Welt. Ihre Gliedkirchen sind sämtlich Abkömmlinge der *Church of England* und ihrer Geschichte, aber der heutige Durchschnittsanglikaner ist ein schwarzes Teenagermädchen aus Nigeria,[3] und in Nigeria gibt es mehr Anglikaner, als Großbritannien Einwohner hat. Ich als jemand, der im fernen Australien aufgewachsen ist, und diese nigerianische Teenagerin aus Lagos haben denselben geistlichen Stammbaum, mit Wurzeln, die um die ganze Welt reichen. Die Geschichte des Westens zu studieren heißt nicht, die Geschichte der restlichen Welt auszublenden, sondern sie besser zu verstehen.

Der zweite Grund dafür, warum ich mich auf den Westen konzentriere, ist schlicht, dass ich zunächst für Leser der englischsprachigen Welt (vor allem in Großbritannien, den USA und Australien) schreibe. Ich schreibe über die Luft, die ich selbst einatme, und ich schätze, dass Sie in einer ganz ähnlichen Umgebung leben. Es gibt auch Länder mit einer anderen Atmosphäre, aber wenn wir uns »auf unsere Atmung konzentrieren« wollen, müssen wir da anfangen, wo wir sind.

Ein anderer Punkt, der Ihnen an diesem Buch auffallen wird, ist sein unregelmäßiger Umgang mit der Zeitschiene. Manche Kapitel haben ein ganzes Jahrtausend oder noch mehr im Blick, andere beschränken sich auf ein Jahrhundert.

Das liegt daran, dass es mir mehr um die Dokumentation der sieben Grundwerte geht als um ihre Chronologie. Ich bin kein Historiker, sondern Philosoph und Theologe. Mir geht es mehr um »Ideen« als um Daten, und dies ist ein relativ kurzes Buch. Für den Leser, der gerne tiefer schürfen möchte, möchte ich die folgenden von Experten geschriebenen Bücher vorschlagen, die mir selbst geholfen haben:

- Zu »Gleichheit«: Larry Siedentop, *Die Erfindung des Individuums: Der Liberalismus und die westliche Welt* (Stuttgart: Klett-Cotta, 2022)
- Zu »Barmherzigkeit«: Larry Hurtado, *Destroyer of the Gods* (Baylor University Press, 2017)
- Zu »Freiwilligkeit«: Kyle Harper, *From Shame to Sin* (Harvard University Press, 2016)
- Zu »Aufklärung«: Seb Falk, *The Light Ages* (Penguin, 2021)
- Zu »Wissenschaft«: Jeff Hardin u. a. (Hg.), *The Warfare between Science and Religion: The Idea That Wouldn't Die* (John Hopkins University Press, 2018)
- Zu »Freiheit«: David Brion Davis, *In the Image of God* (Yale University Press, 2001)
- Zu »Fortschritt«: Alec Ryrie, *Protestants* (Penguin, 2017)

Zum Studium des größeren historischen Zusammenhangs empfehle ich u. a. die folgenden Titel:

- Tom Holland, *Herrschaft. Die Entstehung des Westens* (Stuttgart: Klett-Cotta, 2021)
- David Bentley Hart, *Atheist Delusions* (Yale University Press, 2010)

- Vishal Mangalwadi, *Das Buch der Mitte. Wie wir wurden, was wir sind. Die Bibel als Herzstück der westlichen Kultur* (Basel: Fontis, 2014)
- Rodney Stark, *The Triumph of Christianity* (Bravo Ltd., 2012)
- John Dickson, *Bullies and Saints* (Zondervan, 2021)
- Joseph Henrich, *Die seltsamsten Menschen der Welt* (Berlin: Suhrkamp, 2022)

Diese Historiker, Wissenschaftler und Soziologen, ob sie Christen sind oder (meistens) nicht, kommen alle zu demselben faszinierenden Ergebnis: Unsere modernen, westlichen Werte sind alles andere als normal. Sie sind »seltsam«, wie Joseph Henrich es ausdrückt.[4] Unsere westliche Weltsicht ist im Gesamtzusammenhang der Weltgeschichte definitiv eine Ausnahmeerscheinung. Sie herrscht in Kulturen, die westlich, gebildet, industrialisiert, reich und demokratisch sind. Und – so fahren Henrich und die anderen oben genannten Autoren fort – diese Kulturen konnten nur deshalb so werden, weil sie durch das Christentum geprägt wurden. Die Wurzeln des seltsamen Westens liegen eindeutig in der Jesus-Revolution.

Die beiden letzten Kapitel gehen der Frage nach, was all dies für uns bedeutet. Kapitel 9 zeichnet die Lage nach, in der der Westen sich heute befindet. Kapitel 10 legt dar, wie die Bibel diese Entwicklung schon vor langer Zeit vorhergesagt hat. Und ganz zum Schluss ziehe ich ein paar Schlussfolgerungen für die »Unreligiösen«, die »ehemals Religiösen« und die »Frommen«.

Aber jetzt wollen wir als Erstes einen Besuch machen in jenem fremden Land namens Vergangenheit. Erforschen wir das Denken und die Einstellungen der alten Welt, bevor das Christentum kam. Durch die Brille des Christen gesehen war die Nacht vor Weihnachten sehr lang.

1

Die lange Nacht vor Weihnachten

»Das ist also abendländische Kunst. Tausend Jahre Kreuzigungsszenen, und dann nichts als lauter Striche.«

(Ein Besucher der National Gallery in London, zitiert auf Twitter 2017)[5]

»Tausend Jahre Kreuzigungsszenen, und dann nichts als lauter Striche.« Das ist natürlich eine *sehr* vereinfachte Zusammenfassung der abendländischen Kunstgeschichte (eben Twitter). Aber ganz im Ernst: Waren Sie schon mal in der National Gallery und haben sich die Abteilung über westliche Kunst angesehen und anschließend Ihre Eindrücke in einem kurzen Tweet zusammengefasst? Gut möglich, dass Sie dieses Zitat kaum überbieten können.

Hinter diesem Scherz steckt etwas sehr Reales: Die ganze westliche Zivilisation wurde jahrhundertelang durch Jesus Christus dominiert, vor allem durch seinen grausamen Tod. Das Kreuz ist weltweit das bekanntestes religiöse Symbol, ja, möglicherweise *das* Symbol überhaupt.

Das Erstaunliche ist dabei nicht bloß die große Bekanntheit des Kreuzes, sondern vor allem das Ereignis, für das es steht. Jemand, der sich zum ersten Mal mit dem Christentum und seiner Kunst beschäftigt, würde die Darstellung aller möglichen Szenen aus dem Leben Christi erwarten – seine Geburt, seine Taufe, seine Wunder, was auch immer. Aber sein gewaltsamer Tod? Ein Gefolterter, ein Hingerichteter als Gegenstand der Kunst – es ist, gelinde gesagt, makaber. Und dann noch zu behaupten, wie die Christen das tun, dass der Mann am Kreuz *Gott* war – das ist die revolutionärste Idee, die die Welt je gesehen hat.

Und dass wir heute Kinder dieser Revolution sind, zeigt sich unter anderem darin, dass wir durch die klimatisierten Gänge einer Kunstgalerie schlendern und beim Betreten des Saales mit den zahlreichen Gemälden, die eine grausame Hinrichtung durch Kreuzigung zeigen, wissend murmeln: »Ah, jetzt kommt die religiöse Kunst!« Als ob das das Selbstverständlichste von der Welt wäre. Was einmal mehr zeigt, wie die Jesus-Bewegung unsere Kultur geprägt hat. Die Art, wie wir das Kreuz sehen, ist revolutioniert worden, weil das Kreuz selbst unseren Blick revolutioniert hat.

Wie ich das meine? Nun, vergleichen wir einmal die »religiöse Kunst« in der National Gallery mit einer sehr viel älteren Darstellung der Kreuzigung Christi. Die älteste Darstellung, die wir kennen, ist eine Wandkritzelei, die in den Putz einer Mauer auf dem römischen Palatinhügel geritzt wurde und die neue Sekte der »Christen« verspottet. Sie zeigt ein Kreuz, an welchem eine Gestalt mit dem Körper eines Menschen und dem Kopf eines Esels hängt, und darunter steht der Satz: »Alexamenos betet seinen Gott an.«

Karikaturen sind nicht immer sehr langlebig, aber diese hier ist heute noch so aktuell wie vor 2000 Jahren. Die

Botschaft ist klar: Ein Mann an einem Kreuz ist kein Gott, sondern ein Esel, und wer so etwas verehrt, kann nur verrückt sein, wenn nicht gar pervers.

Die Frage ist berechtigt: Wer sieht das Kreuz richtiger – der altrömische Spötter oder der christliche Künstler? Wenn wir dieser Frage nachgehen, werden wir sehen, was für seltsame Vögel die Christen sind. In diesem Kapitel werden wir in die Sandalen der Römer schlüpfen, um die Welt durch ihre Augen zu betrachten. Kein Römer hätte auch nur das geringste Verständnis für die Kreuzigung gehabt. Seine Reaktion und die unsere unterscheiden sich wie Tag und Nacht. Wenn das Kommen Christi ein neuer Morgen war (und die Christen würden das definitiv sagen), dann behandelt dieses Kapitel die lange Nacht vor Weihnachten.

Ein Sklaventod

> Elend ist der Verlust des guten Rufes vor Gericht, elend die Geldstrafe, die man aus seinem Eigentum bezahlen muss, und elend ist die Verbannung … Doch der Scharfrichter, das Verhüllen des Hauptes und das bloße Wort »Kreuz« – mögen sie alle weit entfernt sein nicht nur von den Leibern römischer Bürger, sondern auch von ihren Gedanken, Augen und Ohren … ihre bloße Erwähnung [ist] eines römischen Bürgers und freien Mannes unwürdig.[6]

So formulierte es Cicero (106–43 v. Chr.), einer der größten Redner der Geschichte. Man beachte die Sorge um die Ehre und die Verachtung der Schande. Ehre und Schande, das waren der Himmel und die Hölle der Antike. Für Cicero und seine Zeitgenossen ging der »gute Ruf«, der Bürgerstatus und die Freiheit eines Menschen über alles. Wer diese Dinge verlor, verlor alles. Kein Wunder, dass die bloße Erwähnung des Kreuzes für Cicero entsetzlich war. Die Kreuzigung war nicht nur mit großem körperlichem Leiden verbunden, sie war auch der Gipfel der Demütigung. Vor den Augen der Gaffer nackt an einem Pfahl zu hängen, bis man tot war, war die elendeste Hinrichtungsart, die die Römer sich hatten ausdenken können. Und die Schande und die Beschämung, die mit diesem Tod verbunden waren, machten einen Großteil dieses Elends aus.

Für uns ist das Kreuz zu einem religiösen Symbol geworden, das das genaue Gegenteil seiner ursprünglichen Bedeutung verkörpert. Selbst ein religiös Unmusikalischer kann heute das Kreuz als Symbol der Erlösung, der Rettung, der Gegenwart Gottes unter den Armen und Elenden und des Friedens Gottes mitten in unserem Schmerz begreifen. In der alten Welt bedeutete es das genaue Gegenteil. Es stand für Erniedrigung, Wertlosigkeit, erbarmungslose Folter und das absolute Ende. Für den römischen Historiker Tacitus gehörte die Kreuzigung zu den »härtesten Strafen«.[7] Vom Kreuz abgenommene Leichen warf man üblicherweise in irgendeinen Graben, wo sich die Geier und Hunde darüber hermachten. Ein Gekreuzigter war buchstäblich Abfall.

Das Kreuz war die Hinrichtungsmethode für Sklaven.[8] Die römische Gesellschaft war, so wie alle anderen antiken Kulturen, strikt hierarchisch gegliedert. Es war eine Hierarchie, wie sie steiler nicht sein konnte, und hier ging es nicht nur um eine Rangordnung, es war eine *Seinsordnung*. Die vom Staat für bestimmte Vergehen verhängten Strafen waren Ausdruck, ja, Durchsetzung und Vollzug dieser Hierarchie. Ob jemand gekreuzigt werden konnte oder nicht, hing mit seiner sozialen Stellung zusammen.

Für Cicero war die Kreuzigung die schlimmste aller Strafen, die nur Sklaven angemessen war.[9] Es war in Ordnung, Sklaven zu kreuzigen, aber Cicero fährt fort mit dem Fall eines römischen Bürgers, der zu Unrecht gekreuzigt worden war, und kommentiert:

> Es ist eine Missetat, einen römischen Bürger zu fesseln, ein Verbrechen, ihn auszupeitschen, geradezu ein Meuchelmord, ihn zu töten: wie soll ich erst seine Kreuzigung nennen? Man kann eine solche Greueltat gar nicht mit einem wirklich angemessenen Ausdruck bezeichnen.[10]

Die Kreuzigung war entweder eine angemessene Strafe oder eine unsägliche Untat – je nachdem, wer da am Kreuz hing.

Im Jahr 61 v. Chr. wurde ein römischer Senator von einem seiner Sklaven umgebracht. Es war üblich, dass in solch einem Fall *alle* Sklaven in dem betreffenden Haus zu kreuzigen waren; hier waren es 400. Tacitus berichtet, dass etliche Römer Protest erhoben gegen diese »übermäßige Strenge«. Doch die Mehrheit des Senats hielt es mit Cassius Caius, der sich nachdrücklich für die Massenhinrichtung aussprach. Wichtiger als alle Gefühle des Mitleids, so Caius, sei doch wohl die Tradition. Er fragte: »Wollt ihr etwa nach Argumenten suchen in einer Sache, die schon durch weisere Männer, als wir selbst es sind, beraten und erwogen worden ist?« Die Alten hatten gesprochen; wer waren ihre

Nachkommen, dass sie ihr Urteil infrage stellten? (Der Leser wird bemerken, dass dies das genaue Gegenteil des heutigen Fortschrittskultes ist.) Denen, die zu bedenken gaben, dass hier Unschuldige mitsterben würden, hielt Caius entgegen: »Es gibt bei jedem großen Exempel ein Stück Ungerechtigkeit, das für Einzelne schädlich ist, das aber seinen Ausgleich im Besten für das ganze Land findet.« Dies ist eine klassische Argumentation für das »Allgemeinwohl«, wo der einzelne Mensch für das Wohl des Ganzen geopfert wird. Geopfert warum? Um ein Exempel zu statuieren. »Allein durch Angst und Schrecken lässt sich dieser zusammengewürfelte Pöbel im Zaum halten.« Das römische Kastensystem konnte nur durch Terror aufrechterhalten werden. Nur so konnten die so wenigen Oberen »mitten unter so vielen leben, sicher in der zitternden großen Masse«[11].

Caius' Argumentation setzte sich durch, und 400 Männer, Frauen und Kinder wurden an ebenso viele Kreuze gehängt, zur Ehre der Weisheit der Alten, für das Wohl des Reiches und zur Einschüchterung der Massen. Abschreckung war das große Ziel, und die Kreuzigung ein wichtiges Mittel dazu. Manchmal war die schreiende Ungerechtigkeit dieses Systems die eigentliche Botschaft. Die »Hinrichtung nach Sklavenbrauch« als öffentliche Strafaktion an Hunderten aus dem gemeinen Volk (gerne auch an Unschuldigen) – noch deutlicher konnte ihre absolute Minderwertigkeit nicht demonstriert werden. Die Obrigkeit tötete diese Menschen, weil sie die Macht dazu hatte, und je mehr von ihnen sie abschlachtete, desto ungenierter wurde sie dabei. Die Folterknechte Roms hatten, wie eines ihrer Opfer kommentierte, die Anweisung, »so zu denken und zu handeln, als ob wir nicht mehr existierten«[12]. Bei einer Kreuzigung zuzuschauen hieß, eine Entmenschlichung zu erleben und die Botschaft zu hören: *Hüte dich, das zu tun, was dieser Schuft getan hat!*

Damit ist nicht gesagt, dass die Zuschauer nicht gerne zuschauten. Im Gegenteil: Hinrichtungen waren eine äußerst beliebte Unterhaltung. Kreuzigungen fanden immer öffentlich statt, nicht selten im Rahmen der Gladiatorenwettkämpfe. In Rom ergötzten sich riesige Menschenmengen an den blutigsten Spektakeln, gerne mit Kreuzigungen, um die Pausen zu füllen. Sklaven, die bis zum Tod miteinander kämpften, waren wie Fleisch und Kartoffeln, und die Würze brachten oft wilde Tiere, die Gefangene zerfleischten, manchmal nachdem sie sie geschändet hatten. Kenner raunten sich zu, dass die *bestiarii* (Dompteure) einen Bullen so dressieren konnten, dass er sein Opfer zuerst vergewaltigte oder jedenfalls so tat. Alles diente der Belustigung der Zuschauer und der Ehre der Götter, die ja in Tiergestalt Frauen vergewaltigten. Diese blutigen Nachstellungen alter Szenen aus der Welt der Götter, Kriege und Tiere waren bei den Massen in den Stadien ganz besonders beliebt.

Für diese ebenso erfindungsreiche wie groteske Brutalität war das Spektakel alles und das Leben nichts. Unter der Herrschaft von Kaiser Caligula (37–41 n. Chr.) kam es zu Engpässen bei der Fleisch-Versorgung zur Fütterung der wilden Tiere, die für die Spiele benötigt wurden. Der Kaiser fand die Lösung: Er befahl, alle Häftlinge in der Stadt (ob sie bereits ihren Prozess bekommen hatten oder nicht) den hungrigen Bestien zum Fraß vorzuwerfen. In Rom konnten Menschen zu Löwenfutter werden. Diese Unglücklichen waren so im

Grunde keine Menschen mehr – oder jedenfalls nicht das, was wir heute unter »Menschen« verstehen.

Aber diese perverse Hierarchie der Werte wurde nicht beklagt, sondern im Gegenteil gelobt. Sie war gerecht. Sie war das, was »Mutter Natur« uns lehrte.

In der Schule der Natur

> Die Natur selbst zeigt uns, dass es gerecht ist, wenn die Besseren mehr haben als die Schlechteren und die Mächtigeren mehr als die Schwächeren … Gerechtigkeit besteht darin, dass der Überlegene über den Unterlegenen herrscht und mehr hat als dieser. (Platon, 427–348 v. Chr.)
>
> Denn dass die einen herrschen und die anderen beherrscht werden, ist nicht nur notwendig, sondern auch sinnvoll; von der Stunde ihrer Geburt an sind die einen zur Unterwerfung bestimmt und die anderen zum Herrschen. (Aristoteles, 384–322 v. Chr.)

Der griechische Philosoph Platon, sein Lehrer Sokrates (470–399 v. Chr.) und sein Schüler Aristoteles gelten als die Väter der abendländischen Philosophie. Oft wird gesagt, dass die Geschichte des Denkens im Wesentlichen aus Fußnoten zu Platons Lehren besteht. Selbst die mächtigen Römer mussten zugeben, dass die Griechen, wenn es um die *intellektuelle* Feuerkraft ging, die Größten waren. Kein Römer, ja, überhaupt kein Mensch in der Antike wäre auf die Idee gekommen, an den obigen Zitaten zu rütteln. Aber sie sind das genaue Gegenteil unseres heutigen Denkens. Für uns heißt »Gerechtigkeit«

unter anderem Gleichheit zwischen den Menschen. In der Antike bedeutete Gerechtigkeit Durchsetzung der Ungleichheit, denn so wollte es die Natur.

Für Platon und Aristoteles war es offensichtlich, dass manche Menschen als »lebendige Werkzeuge« geboren waren – als Maschinen, die von anderen benutzt wurden. Ein anderes Wort für diesen Tatbestand ist *Sklave*.

Man hört oft, klassische Autoren wie Platon oder Aristoteles seien »Verteidiger der Sklaverei« gewesen. Aber das waren sie nicht, denn hier gab es nichts zu verteidigen. Niemand griff die Institution der Sklaverei an; niemand wäre auf solch eine Idee gekommen. Nicht nur das gesamte antike Wirtschaftsleben basierte auf der Sklaverei, sondern auch die Politik und die Religion. Die Sklaverei war das, was die Welt im Innersten zusammenhielt. Wie Larry Siedentop feststellt: Im Zentrum des Denkens der Alten stand »die Annahme einer natürlichen Ungleichheit«.[13]

Die Philosophen der Antike sahen sich dabei nicht als Verteidiger oder Lehrer dieser Ungleichheit. »Die Natur selbst« lehrte, dass manche Menschen stärker, klüger und, ja, besser seien als andere. Es gab »höhere« Rassen (die Griechen über den Barbaren), ein »höheres« Geschlecht (die Männer über den Frauen) und »höhere« Klassen (Freie über den Sklaven). Der geringere Wert von Barbaren, Frauen und Sklaven ergab sich aus ihrem Wesen, und wer konnte leugnen, dass es Menschen gab, die zum Herrschen prädestiniert waren, während andere es nötig hatten, dass jemand über sie herrschte?

Dies war jedem in der alten Welt klar, egal, auf welcher Stufe der großen Hierarchie des Seins er stand. Gut, es gab sie, die Menschen, die am Status quo rüttelten. Ein Sklavenaufstand war eine permanente, nicht zu unterschätzende Gefahr; deswegen brauchte man ja solche Abschreckungsmittel wie die Kreuzigung. Aber wenn die unteren Klassen versuchten, mehr Status, Macht, Freiheit oder Besitz zu bekommen, war das, was sie suchten, ein Privileg und nicht Gerechtigkeit. Gerechtigkeit – das war ja gerade (siehe oben Platon), wenn die Oberen über die Unteren herrschten. So wollte es Mutter Natur, wie jeder Vernünftige einsehen musste. Die Stellung, die das Schicksal einem zugemessen hatte, war immer das, was man verdient hatte.

Was die großen Philosophen sagten, wurde bestätigt von der Volksweisheit, wie sie sich etwa in den Fabeln Äsops (7. Jahrhundert v. Chr.) niederschlug. In einer der Fabeln möchte eine Eidechse gerne ein Hirsch sein – bis sie miterlebt, wie der Hirsch gejagt und erlegt wird, und abrupt zurück auf den Boden der Tatsachen kommt. Am Ende der Fabel ist die Eidechse hochzufrieden mit ihrem wenig glamourösen Platz in der Nahrungskette. In einer anderen Fabel möchte die Eidechse gerne so lang sein wie eine Schlange, und sie reckt und streckt sich – dumme Eidechse –, bis sie platzt.

Unsere heutigen Fabeln sind genau umgekehrt. Heute schüttelt der Held die Fesseln der Tradition und Hierarchie entschlossen ab, um sein inneres Potenzial zu entfalten. Vielleicht ist dies die bessere Moral der Geschichte, vielleicht auch nicht, aber der Unterschied ist unbestreitbar. In der Antike brachte man es den Menschen auf tausend Arten bei, den ihnen gebührenden Platz einzunehmen, und dabei ging es nicht nur um ihren Platz in der Hackordnung der

Gesellschaft, es ging um ihre Stellung im Kosmos, in der großen Hierarchie des Seins. Was bedeutete, dass Religion ein fester Bestandteil ihres Lebens war.

Was die Religion lehrt

Eigentlich müsste ich hier keinen neuen Abschnitt beginnen. Wenn wir über die Religion der Antike reden, schlagen wir (jedenfalls aus der Perspektive der Menschen von damals) kein neues Kapitel auf. Wie wir in Kapitel 5 noch genauer sehen werden, ist der heute so selbstverständliche Unterschied zwischen dem säkularen und dem religiösen Bereich eine Frucht der christlichen Revolution. Als moderne Menschen unterscheiden wir zwischen dem öffentlichen, konkreten, alltäglichen Geschehen in der Welt – also den Bereichen der Wissenschaft, Wirtschaft, Politik usw. – und dem persönlichen, inneren Bereich der »Religion«. Wenn ich an das Stichwort »säkularer Bereich« denke, habe ich Werbevideos aus den 1980er-Jahren vor Augen, mit flotter Popmusik und Managern in Nadelstreifenanzügen, die morgens in ihre Firma eilen, und bei dem Wort »religiös« denke ich an matt beleuchtete Kirchen, einen singenden Chorknaben, eine einsame brennende Kerze, einen Gläubigen, der ganz für sich in einer Bank kniet und betet. Das Religiöse ist die Freizeitbeschäftigung einiger weniger, das Säkulare ist das, was die Welt in Gang hält.

Diese Trennung zwischen »säkular« und »religiös« war für die Menschen der Antike undenkbar. Sie wären z. B. nie auf die Idee gekommen, zwischen Politik und Religion zu trennen. In der Politik ging es um die Belange der *polis* (das griechische Wort für »Stadt«). Doch die Stadt setzte sich *nicht* aus Individuen nach unserem heutigen Verständnis zusammen, sondern aus Familien, und an der Spitze jeder Familie stand das Familienoberhaupt (lateinisch: *pater familias*), der älteste Mann in der Familie, der Leben und Tod aller anderen Familienmitglieder in der Hand hielt. Seine allerwichtigste Rolle war die des Priesters der Familie; er hatte für die rechte Anbetung der Familiengötter zu sorgen, zur Ehre der Ahnen das Herdfeuer stets brennen zu lassen und, wenn die Zeit gekommen war, diese Pflichten an seinen ältesten Sohn zu übergeben. Wo diese Familien sich zu Sippen und Städten zusammenschlossen, spielten wieder die Götter eine zentrale Rolle. Verträge – ob wirtschaftlicher, militärischer oder politischer Art – wurden mit den Göttern als Zeugen ratifiziert. Bürger zu sein hieß, am Kult der Stadtgötter teilzunehmen.

Auch als Athen mit der, wie sie es nannten, »Demokratie« experimentierte, war dies ein durch und durch religiöses Unternehmen. War die Monarchie die Herrschaft von einem und die Oligarchie die Herrschaft einiger weniger, so war die Demokratie die »Herrschaft des Volkes«. Fragt sich nur, was die Griechen unter »Volk« verstanden. Wenn wir das Wort »Volk« hören, denken wir an eine größere Gruppe von Individuen, die alle unter dem gleichen Gesetz stehen. Aber das ist schon wieder unsere christliche Prägung. Die Grundeinheit der antiken Gesellschaft (und noch eines Großteils der nichtchristlichen Welt heute) war die Familie, und wenn die Familien sich zusammenschlossen, waren es die Familien*väter*, die zusammenkamen. In der »Demokratie«

Athens konnten diese priesterlichen Haushaltvorsteher ihre Stimme zu diversen Angelegenheiten bzw. Kandidaten abgeben, aber ihre Optionen waren bereits eingeschränkt, weil man z. B. das Los geworfen oder das Orakel in Delphi befragt hatte. Athen wurde mehr durch die Wahrsagerei als durch das »Volk« regiert. In der Praxis hatte eine Elite von Männern in gewissen Dingen das Stimmrecht, aber das eigentliche Sagen hatten die Götter. Alles – von der Verwaltung der Stadt bis zum Ausgang der Kriege, von der Qualität der Ernte bis zum Studium der Himmelskörper – war im Innersten »religiös«.

Um also die Menschen der Antike verstehen zu können, müssen wir ihr religiöses Denken verstehen. Schauen wir uns dazu einige ihrer Schöpfungsmythen an. Diese religiösen Erzählungen geben uns eine lebendige Vorstellung davon, wie die Alten die Götter, sich selbst und die Welt um sich herum sahen.

Als Sklaven geboren

Am Anfang war das Chaos. Dann kam die Rebellion. Dann der Krieg. Danach die Sklaverei und schließlich wir. So steht es in den Schöpfungsmythen des alten Orients.

Ein typisches Beispiel ist das babylonische *Enuma Elisch*. Der Großteil dieses Mythos schildert die Kämpfe der Götter vor der Schöpfung. Dem Gott Marduk gelingt es schließlich, die Göttin Tiamat zu töten, deren Leib sich in Himmel und Erde spaltet. 300 der Götter werden darauf dem Himmel zugeteilt, 600 der Erde, und die Menschheit entsteht durch die Opferung eines Gottes, sodass »die Mühe der Götter auf die

Menschen gelegt« wird. »Aus [Kingus] Blut erschuf [Ea] die Menschen, denen er den Dienst an den Göttern auferlegte, um die Götter freizumachen.«[14]

Dies ist ein wiederkehrendes Thema in den alten Mythen: Die Menschheit entsteht aus Blutvergießen, und ihr Los ist die Sklaverei. So auch der mesopotamische Mythos *Atrahasis*, wo es heißt: »Schafft den Urmenschen, auf dass er das Joch auf sich nehme! Lasst ihn das Joch tragen … Lasst die Menschen die Bürde der Götter tragen!«[15] Wieder entstehen die Menschen durch die Opferung eines Gottes (diesmal ist der Unglückliche Geshtu-E), und wieder ist ihr Los die Zwangsarbeit.

In der griechischen Mythologie gehen unsere Ursprünge ebenfalls auf Chaos, Krieg und Sklaverei zurück, aber auch auf jede Menge Sex und Eifersucht. Die Griechen kannten *Gaia* (die Erde), *Uranos* (den Himmel) und *Tartaros* (die Unterwelt). Gaia und Uranos bekommen Kinder – die Titanen. Doch Gaia gebiert auch Ungeheuer – die Zyklopen –, die Uranos so zuwider sind, dass er sie in den Tartaros wirft. Die erzürnte Gaia sinnt auf Rache und lässt einen ihrer Söhne – den Kronos – Uranos' Genitalien abhacken. Doch der Götter-Ehekrieg trägt eine unerwartete Frucht: Aus dem Blut von Uranos' bestem Körperteil entsteht Aphrodite, die Göttin der Liebe und Schönheit. Gerade in dem Moment, in dem man dachte, dass die Romantik tot sei.

Kronos heiratet seine Schwester Rhea, bekommt aber Bedenken, dass seine Kinder ihn womöglich zerstückeln werden. Das muss verhindert werden, und so verschlingt er sie, sobald sie geboren sind. Doch Rhea kann ihren

Sechsten – Zeus – retten. Der wird von einer Ziege in einer Höhle auf Kreta aufgezogen. Groß geworden, kommt er zurück und bringt mit einem Trick Kronos dazu, seine anderen Kinder hochzuwürgen. Zeus, nicht faul, schließt einen Bund mit seinen hochgewürgten Geschwistern. Sie sind die Olympier, und sie nehmen den Kampf gegen die Titanen auf. Um es kurz zu machen: Die Olympier gewinnen, Zeus zerstückelt Kronos (genau wie dieser befürchtet hatte) und schleudert die Stücke in den Tartaros. Zeus wird darauf der König der Götter; Poseidon herrscht über das Meer und Hades über die Unterwelt.

Aber was ist mit uns Menschen? Nun, dass es uns gibt, haben wir Prometheus zu verdanken. Der war ein Titan, aber da er in dem Krieg mit den Olympiern nicht mitgekämpft hatte, kam er nicht in den Tartaros. Vielmehr erhält er, zusammen mit anderen, den Auftrag, Menschen zu erschaffen. Er formt den Menschen aus Staub, Athena haucht ihm das Leben ein, und zur Krönung des Ganzen stiehlt Prometheus gegen den ausdrücklichen Willen des Zeus Feuer von der Sonne und gibt es den Menschen. (Die Titanen sind größere Menschenfreunde als die Olympier.) Zur Strafe für diese rebellische Tat wird er an einen Felsen gekettet, wo ein Adler seine Leber frisst; hat er sie fertig gefressen, wächst sie wieder nach, worauf der Adler weiterfrisst und so weiter und so fort.

Wir Menschen sind das Ergebnis von Chaos, Gewalt und Tod. Dies ist in der ganzen Antike so. Die Römer übernahmen zum großen Teil die Mythologie der Griechen. Sie schrieben sie nicht um, sondern benannten lediglich die

Akteure um: Zeus hieß jetzt »Jupiter«, Aphrodite »Venus« und Poseidon »Neptun«, aber die Geschichten mit ihrer Eifersucht, ihren Intrigen und ihrer Brutalität blieben die gleichen. Eine wichtige Neuerung war die römische Version des griechischen Kriegsgottes Ares. War Ares der große Zerstörer, den man unmöglich lieben konnte, so war sein römisches Gegenstück, Mars, der Inbegriff der Männlichkeit, der im Götterhimmel gleich hinter Jupiter kam. Durch seine Vergewaltigung der nichts ahnenden Rhea Silvia, einer Sterblichen, zeugte er die beiden Gründer Roms – die Zwillinge Romulus und Remus. Es ist keine Übertreibung, zu sagen, dass in der römischen Schöpfungsmythologie die Stadt selbst im Zentrum steht. Die kosmische Vision der Römer dreht sich um Rom, die »Ewige Stadt«, und diese Stadt wurde aus Krieg und Vergewaltigung geboren.

Der den Kosmos zusammenhält

In diesem Kapitel versuchen wir, in die Sandalen eines Römers zu schlüpfen und das Kreuz Christi mit seinen Augen zu sehen. Was sich als fast unmöglich erweist, weil sich »unsere seltsamen christlichen Werte« dauernd dazwischenschieben. Wir hören von Mord und Totschlag, Krieg und Vergewaltigung, Ungleichheit und Brutalität, Sklaverei und Folter, und unsere modernen Reflexe rebellieren: »Das geht doch nicht, das darf doch nicht sein ...« Aber für einen Römer waren diese Dinge lauter Selbstverständlichkeiten, und wenn er vor einem Kreuz stand, blickte er auf die Realität der Macht mit all ihren Schrecken. Das Kreuz kam von oben, von den Mächtigen und Gewaltigen, und seine

Aufgabe war es, die Kleinen, Elenden zu zermalmen und die »gerechte« Ordnung des Reiches, ja, des ganzen Kosmos aufrechtzuerhalten. Wer einen Gekreuzigten sah, der sah einen Menschen, der ganz unten gelandet war.

Und dann kamen die Christen und sagten: »Wir sehen etwas ganz anderes.« Sie behaupteten das Revolutionärste, was man sich vorstellen konnte: dass Gott selbst an einem Kreuz gehangen hatte. Und dieser Gott war nicht Mars. Wenn Mars im Frieden kam, legte er seinen Speer ab, zum Zeichen seiner Großmut. Der Christengott hatte seinen Speer nicht abgelegt, im Gegenteil: Ein römischer Soldat stieß ihm einen Speer in die Seite, als er den Tod eines Sklaven starb. Und die Ersten, die diesen Gekreuzigten »Gott« nannten, waren die letzten Menschen, von denen man das erwartet hätte. Das Christentum begann als jüdische Bewegung. Die ersten Jünger Christi waren alle Juden, und ja, sie nannten ihn »Gott«. Und wenn ein Jude »Gott« sagte, meinte er keine Figur aus dem griechischen oder römischen Götterhimmel und auch keine streitbare Gottheit aus den alten babylonischen Mythen. Er meinte den »Schöpfer des Himmels und der Erde, die Quelle allen Lebens und Seins«. Aber es waren zunächst Juden, die Christen wurden, und sie taten dies, indem sie zu einem Gekreuzigten emporschauten und erklärten: »Das ist unser Gott!«

Wie konnte ein Römer, der die Luft Roms atmete, durch die brutale Macht Roms im Zaum gehalten wurde und mit den Mythen Roms aufgewachsen war, auf so etwas reagieren? Er konnte gar nicht anders, als Christus für einen Esel zu halten, seine Anhänger für Narren und ihre Religion für eine Abartigkeit. Wie musste ein gekreuzigter Gott auf einen Römer wirken, für den das bloße Wort »Kreuz« eine unaussprechliche Zumutung war?

»Denn das Wort vom Kreuz ist denen, die verloren gehen, Torheit«, schrieb Paulus, ein Judenchrist aus dem 1. Jahrhundert, der jahrzehntelang dieses »Wort« im Mittelmeerraum predigte, »uns aber, die wir gerettet werden, ist es Gottes Kraft« (1Kor 1,18). Paulus, der das halbe Neue Testament schrieb, hat eine Botschaft verkündigt, die sich ganz um »Jesus Christus, den Gekreuzigten« (1Kor 2,2; NGÜ) dreht. Für ihn war die Kreuzigung Jesu eine scharfe Trennlinie: hier die Spötter, dort die Anbeter. Der durchschnittliche Mensch des 1. Jahrhunderts konnte sie nur lächerlich finden. Und peinlich. Ein gekreuzigter Gott – ging es noch sinnloser? Aber für die Christen war die Kreuzigung kein Unsinn, sondern das, was ihrem Leben Sinn gab, ja, sogar dem ganzen Kosmos. Am Kreuz war ihnen der Gott des Himmels begegnet, der sich zu seinen Geschöpfen herabgeneigt hatte. Für sie war das Kreuz nicht das Ende, sondern der Anfang. Es war das Epizentrum eines Erdbebens, das sämtliche irdischen Gewissheiten erschütterte. Der Höchste war in die tiefsten Tiefen hinabgestiegen und hatte eine radikale Bewegung begonnen, die die Welt auf den Kopf stellte.

Nun, Paulus und die anderen Christen des 1. Jahrhunderts beharrten auf ihrer törichten Predigt – und sie fanden offene Ohren. Ihr Glaube, dass der gekreuzigte Christus »Gottes Kraft« war, erschien immer weniger lächerlich, weil die Menschen spürten, dass hier in der Tat eine Kraft am Werk war. Eine Bewegung hatte begonnen. Menschen begannen, anders zu denken, dann anders zu leben, und dann wurden ganze Gruppen und Kulturen anders. Alles wurde anders, und die verrückte Botschaft vom Kreuz wurde zur einflussreichsten Botschaft in der Geschichte der Menschheit.

Heute erscheint uns die Idee des Sich-Aufopferns nicht mehr peinlich, sondern wunderbar. Gleichheit, Barmherzigkeit, Freiheit und all die anderen seltsamen Werte, denen wir in diesem Buch nachgehen, sind uns selbstverständlich geworden. Wenn wir in eine Kunstgalerie gehen, schauen wir uns gerne »tausend Jahre Kreuzigungsszenen« an. Das Erdbeben des Christentums hat gewaltige moralische Auswirkungen. Im Rest dieses Buches wollen wir dem nachgehen.

2

Gleichheit

»Ich akzeptiere nicht, dass alle Leben gleich viel wert sind.«

(Lord Sumption, Januar 2021)

Diese Worte lösten unmittelbar eine emotionale Welle der Empörung aus, die sehr christlich war.

Die Worte stammen von Lord Sumption, einem ehemaligen Richter am Obersten Gerichtshof des Vereinigten Königreichs. Er sagte sie während einer Fernsehdebatte über die Frage, ob der Covid-Lockdown in Großbritannien eine angemessene Reaktion auf die Pandemie sei.[16] Er argumentierte, dass Covid vor allem die Älteren treffe, die Lockdownmaßnahmen dagegen die Jüngeren und dass somit der Lockdown »zu viele Menschen im Namen des Allgemeinwohls abstrafe«.

Dies warf dann natürlich die Frage auf: *Wenn man keinen Lockdown macht, sollen dann die Älteren dem Wohl der Jüngeren geopfert werden?*

Sumption, selbst Rentner, schien bereit zu sein, dieses Opfer zu bringen: »Das Leben meiner Kinder und

Enkelkinder ist deutlich wertvoller als meines, weil sie ja noch so viel mehr davon vor sich haben.« Dies war der Kontext, in welchem er sagte: »Für mich ist nicht alles Leben gleich wertvoll.«

Die Entrüstung, die diese Worte auslösten, füllte eine ganze Woche lang die Spalten der Zeitungen und ebenso die Sendezeit im Fernsehen. Sumptions Lage wurde nicht besser dadurch, dass noch während der Sendung Deborah James, eine Frau, die aufgrund ihres Krebsleidens besonders durch die Pandemie gefährdet war, ihm entgegenhielt: »Entschuldigen Sie, aber ich bin so jemand, dessen Leben Ihrer Meinung nach nicht wertvoll ist.« Worauf Sumption sie mit einer Klarstellung unterbrach, die die Temperatur der Diskussion in den Medien noch einmal verzehnfachte: »Ich habe nicht gesagt, dass Ihr Leben nicht wertvoll ist, sondern lediglich, dass es weniger wertvoll ist.«

Nicht wertlos, nur weniger wert. Es überraschte niemanden, dass diese Präzisierung die Wogen überhaupt nicht glättete. Es ist schwer, sich einen Satz vorzustellen, der unser moralisches Feingefühl noch tiefer aufwühlt. Die Idee, dass die Jungen wertvoller sind als die Alten oder die Gesunden wertvoller als die Kranken, trifft eine Ader in uns, die – ja, religiös ist; man kann es schier nicht anders ausdrücken. Sie klingt in unseren Ohren fast wie eine Gotteslästerung. Deborah James sprach stellvertretend für viele, als sie dem pensionierten Richter vorhielt:

> Wer sind Sie, dass Sie mein Leben bewerten? Ich finde – und viele andere sicher auch –, dass das Leben heilig ist und dass alle solche Bewertungen fehl am

Platz sind. Jedes Leben ist es wert, dass man es rettet, egal, was für ein Leben es ist.

Man beachte die geradezu instinktive Abscheu gegenüber dem bloßen Gedanken der Ungleichheit. Es ist eine Situation, in der Menschen, die normalerweise das Wort »heilig« nie in den Mund nehmen würden, es auf einmal benutzen. Wenn wir befürchten, dass der Wert der Gleichheit aller Menschen angegriffen wird, wird unsere Sprache fast automatisch religiös. Die Gleichheit zu verneinen ist sozusagen ein Sakrileg, eine Grenzüberschreitung, eine Gotteslästerung.

»Gleichheit« und »Gott«: Fragen des Glaubens

Aber jetzt stellen wir uns vor, es hätte noch einen anderen Gast in der Fernsehdebatte gegeben. Man führt Platon in den Raum, der staunend in die Scheinwerfer blinzelt und verblüfft die ganze Technik betrachtet. Der Moderator fragt ihn, ob er den Satz, dass manche Menschenleben wertvoller sind als andere, bejahen könne. Der antike Denker runzelt die Stirn und fragt sich: *Worüber* reden die da eigentlich?

Für den Vater der westlichen Philosophie ist es eine ausgemachte Sache, dass unterschiedliche Menschenleben unterschiedlichen Wert haben. Die einen sind Männer, die anderen Frauen, die einen Griechen, die anderen Barbaren, die einen frei, die anderen Sklaven. Es gibt Reiche und Arme, Weise und Dumme, Starke und Schwache. Die ganze Natur ist ein einziges Kaleidoskop von Unterschieden. Man vergleiche zwei Menschen in Bezug auf eine beliebige Eigenschaft, und was stellt man fest? Dass der eine mehr davon hat als der andere. Was natürlich die Definition von »Ungleichheit« ist. Wenn behauptet wird, dass zwei Menschen »eigentlich« gleich sind, obwohl sie in ihren Eigenschaften so ungleich sind, wirft das die Frage auf: *Gleich inwiefern? Was ist das für ein Zauberland, in welchem sie »gleich« sind? Kannst du mir dieses Land zeigen?* Würde Plato versuchen, höflich zu sein, würde er vielleicht sagen: »Euer Glaube an die ›Gleichheit‹ fasziniert mich; ich würde gerne auch sehen können, was ihr seht. ›Gleichheit‹ scheint für euch etwas sehr Wichtiges zu sein. Ihr führt euer Leben in diesem Glauben, und das respektiere ich. Aber ich habe den Eindruck, dass ihr da an etwas glaubt, ohne irgendwelche Gründe oder Beweise dafür zu haben. Ich bitte um Entschuldigung, aber die Sache überzeugt mich nicht.«

So etwa könnte Platon auf unseren modernen Glauben an die »Gleichheit« aller Menschen reagieren. Und genauso reagieren interessanterweise meine atheistischen Freunde auf Gott: eine nette Idee mit nichts dahinter. Wir werden uns die Parallelen zwischen dem Glauben an die Gleichheit und dem Glauben an Gott gleich genauer ansehen; aber zuerst kehren wir noch für einen Augenblick zu Sumption zurück.

Die Vertikale und die Horizontale

Etwas später in der gleichen Woche versuchte Sumption erneut, sich zu erklären, diesmal in einer anderen Fernsehsendung.[17] Diesmal hatte er zunächst mehr Glück:

> Ich habe eine ganz einfache Bemerkung gemacht. Jeder politische Entscheidungsträger muss manchmal

> schwierige Entscheidungen treffen. Dazu kann es gehören, dass er Menschenleben bewertet. In der Gesundheitsökonomie spricht man hier von Lebensdauer und Lebensqualität, und genau das habe ich gemeint. Entscheidungsträger müssen solche Dinge tun, sonst sind sie nicht in der Lage, die Folgen verschiedener Strategien abzuwägen.

Das ist völlig richtig. In einer Welt mit begrenzten Ressourcen können wir uns nicht jede lebensrettende Maßnahme leisten. Das Geld, das wir in eine bestimmte Therapie für bestimmte Menschen stecken, fehlt an anderer Stelle, und unbegrenzt Geld haben wir nun einmal nicht. Und so müssen sich Entscheidungsträger, die Leben retten und bewahren wollen, manchmal überlegen, welche Lebenserwartung ein Patient oder eine ganze Gruppe von Patienten noch vor sich hat. Wenn wir ein neunjähriges Kind und einen 99 Jahre alten Greis vor uns haben und nur einen von ihnen retten können, dann – so Sumption – *wissen wir, was wir zu tun haben*. Aber dann fuhr Sumption fort und sagte etwas, was er in dem ersten Fernsehauftritt nicht gesagt hatte:

> Dies bedeutet nicht, dass manche Menschen moralisch weniger wertvoll sind. Es bedeutet nicht, dass sie in Gottes Augen oder in denen ihrer Mitmenschen weniger bedeuten …

Hier ist die entscheidende Dimension, die in Sumptions erster Aussage fehlte: die Vertikale. Es gibt eine moralische, eine innere Gleichheit aller Menschen: Sie sind gleich vor Gott und sie sind gleich als Bürger vor dem gleichen Gesetz, egal, wie alt sie sind und wie es um ihre Gesundheit oder ihr Bankkonto steht. Dies ist ein Gedanke, dem wir instinktiv zustimmen (obwohl vielen von uns wohler wäre, wenn wir hier Gott außen vor ließen).

Doch dann kehrte Sumption zur horizontalen Dimension und seiner früheren Wortwahl zurück:

> Aber manchmal müssen Entscheidungsträger sagen: »Manche Menschenleben sind wertvoller als andere …«

Worauf das Studio erneut explodierte. Dies war Ketzerei, und Sumptions Versuche, sich zu erklären, gingen in dem allgemeinen Tumult unter.

Was mich hier interessiert, sind nicht so sehr Sumptions Argumente. Recht verstanden und im Kontext gesehen, waren sie viel stärker als seine Formulierungen. Aber für die tiefen Überzeugungen unserer heutigen westlichen Welt konnten sie nur ein instinktives Entsetzen auslösen. Und so ist es auch geschehen. In diesem Kapitel wollen wir diesem Entsetzen nachgehen. Denn das Entsetzen, das Sumptions Worte hervorriefen, ist in gewissem Sinne ein spezifisch christliches Entsetzen.

Wo kommen wir her? Moderne Mythen

Yuval Noah Harari hat eine Reihe von Bestsellern geschrieben, darunter nicht zuletzt *Eine kurze Geschichte der Menschheit* und *Homo deus*. Als Historiker ist er davon überzeugt, dass wir die Zukunft nur dann meistern können, wenn wir unsere Vergangenheit kennen. Doch unsere Vergangenheit, so betont er, ist eine erschreckende Welt der Kämpfe und Kriege. Die antiken Kulturen glaubten an die Entstehung der Welt aus Krieg und Tod; Harari verortet uns in einer Geschichte der Evolution, die nicht weniger verstörend ist. Der *Homo sapiens* hat unseren Planeten durch ein Maß an Gewalt, Gier und Stolz erobert, das es mit den Olympioniken der Griechen jederzeit aufnehmen kann. Wir sind bei Weitem nicht die schnellste, stärkste oder robusteste Spezies auf dem Planeten, und doch sind wir seine unbestrittenen Herren geworden.

Was ist das Geheimnis unseres Erfolgs? Laut Harari ist es unsere Fähigkeit, flexibel und umfassend zu kooperieren, mit anderen Menschen zusammenzuarbeiten. Wenn einer von uns auf einer einsamen Insel ausgesetzt wird, kann er dort kaum überleben. Doch verfrachtet man eine ganze Familie oder Sippe auf die Insel, und es wird bald *ihre* Insel sein. Aber warum arbeiten wir so gut zusammen? Weil wir Geschichten erzählen. Das ist kein Hobby, sondern in diesen Erzählungen finden wir Sinn. Wir versetzen uns selbst in sie hinein, identifizieren uns mit bestimmten Personen und Zielen. Solche Narrative verbinden uns über Stammesgrenzen und physische Grenzen hinweg, die uns sonst trennen würden.

Und in manchen dieser Geschichten geht es um Gott bzw. die Götter. Die Religion hat eine Schlüsselrolle gespielt in der Entwicklung unserer Spezies. Sie hat uns zusammengeschweißt, unser Verhalten geregelt, uns Ziele gegeben und uns Trost und Hoffnung geschenkt in den ständig neuen Prüfungen und Krisen des Lebens. Doch die

»Gott-Geschichte« ist nicht die einzige Geschichte, die uns zusammengeschweißt hat. Eine zweite, sehr viel modernere Geschichte ist die der Menschenrechte. Hören wir Harari selbst:

> Die meisten Rechtssysteme in der heutigen Welt basieren auf dem Glauben an die Menschenrechte. Aber was sind Menschenrechte? Menschenrechte sind …, wie Gott und der Himmel, eigentlich nur eine Geschichte, die wir erfunden haben. Sie sind keine objektive Realität. Sie sind keine biologische Tatsache über *Homo sapiens*. Nehmen Sie einen beliebigen Menschen, öffnen Sie ihn und untersuchen Sie ihn; Sie werden das Herz finden, die Nieren, Neuronen, Hormone, DNA, alles. Aber keine Rechte. Der einzige Ort, wo wir Rechte finden, sind die Geschichten, die wir … im Laufe der letzten paar Jahrhunderte erfunden und verbreitet haben. Es mögen sehr positive, sehr gute Geschichten sein – aber eben doch nur Geschichten, die wir selbst erfunden haben.[18]

Was machen wir mit dieser Behauptung? Ich glaube, sie enthält etliche Wahrheiten. Zunächst einmal lenkt sie unsere Aufmerksamkeit auf die Macht der Narrative. In der Tat: Unser Leben erhält einen Großteil seines Sinns durch die Geschichten, die wir uns erzählen. Sie schweißen uns zusammen, geben uns gemeinsame Werte und einen gemeinsamen Horizont. Zweitens verweist Harari mit Recht auf die Ähnlichkeiten zwischen der »Gott-Geschichte« und der »Menschenrechts-Geschichte«. Wie wir gleich noch sehen werden, gibt es ein untrennbares Band zwischen Gott und den Menschenrechten (was Harari auch so sieht). Drittens hat Harari recht mit seiner Behauptung, dass Rechte nichts sind, das offensichtlich ist oder das man naturwissenschaftlich nachweisen kann. Unseren Wert als Menschen kann man nicht über medizinische Experimente ermitteln. Wir haben 40 Prozent unserer DNA mit den Bananen gemeinsam (was sehr wenig über den Wert von Menschen oder von Bananen aussagt). Der Wert eines Wesens hat nichts mit seiner Erbmasse zu tun. Ein Mensch mit Downsyndrom hat ein Chromosom zusätzlich, aber das macht ihn nicht wertvoller oder weniger wertvoll.

Die Naturwissenschaft sagt uns nichts über unsere Gleichheit untereinander. Es gilt eher das Gegenteil: Je mehr man eine Population testet, desto mehr Unterschiede zwischen ihren Gliedern findet man. Die einen sind größer, die anderen kleiner, die einen clever, die anderen nicht so clever, die einen stärker, die anderen schwächer. Was wir *sehen*, sind lauter Unterschiede. Was wir *suchen*, ist Gleichheit. Aber wir werden weder diese Gleichheit noch sonst etwas finden, das moralisch bedeutsam wäre, indem wir Genome untersuchen, Tests durchführen oder Kurvendiagramme analysieren.

Harari hat recht: Die Menschenrechte finden sich in den *Geschichten*, die wir erzählen. Fragt sich, was für eine Geschichte das Zeug dazu hat, uns ein Bewusstsein von unserem Wert als Menschen zu geben.

Das Wasserglas von Elton John

Im Jahr 2018 veranstalteten Sam Harris und Jordan Peterson eine Reihe öffentlicher Debatten, die Tausende Zuhörer vor Ort miterlebten, dazu Millionen online. Harris ist ein Neurowissenschaftler und Bestsellerautor, der zu den »vier apokalyptischen Reitern des Atheismus« gehört (die drei anderen sind Richard Dawkins, Daniel Dennett und der mittlerweile verstorbene Christopher Hitchens). Peterson ist ein Psychologieprofessor, Autor und bekannter YouTuber, dem wir uns in Kapitel 10 erneut zuwenden werden. In der zweiten Debatte diskutierten Harris und Peterson über Werte und wie man zu ihnen kommt. Harris brachte dazu einen denkwürdigen Vergleich. Er nahm das Wasserglas, das vor ihm stand, in die Hand und sagte:

> Was wäre, wenn ich Ihnen jetzt erkläre, dass dies hier kein gewöhnliches Glas ist? Dies ist das Glas, aus dem Elton John bei seinem letzten Konzert [in dieser Arena] trank. Wie viel sind Sie bereit, mir für dieses Glas zu zahlen?[19]

Dies ist ein gutes Beispiel dafür, wie wir Dinge bewerten. Dieses Trinkglas selbst ist sehr wenig wert – vielleicht einen Euro. Doch das Glas *in Verbindung mit der Kultur-Ikone Elton John* kann locker das Tausendfache wert sein. Wenn der Käufer Elton John schätzt, wird er auch das Glas wertschätzen. Aber, so fragt Peterson, *wo ist dieser Wert zu lokalisieren*? Das Material des Glases ist so gut wie wertlos. Aber über dieses Glas gibt es eine Geschichte zu erzählen, und diese Geschichte – in Verbindung mit ihrem Helden Elton John – verleiht dem Glas eine Bedeutung, die weit über seine materiellen Bestandteile hinausgeht.

In dieser Debatte entwickelte Harris das Beispiel mit dem Glas in eine interessante Richtung weiter. Er verglich das Glas mit einem Stück Land, genauer: mit dem Landstreifen am Ostende des Mittelmeers, über den sich heute die Juden und die Palästinenser streiten. Die eine Partei nennt das Land »Israel«, die andere nennt es »Palästina«, und der Konflikt beruht auf Geschichten – religiösen Geschichten – über dieses Land. Harris findet das furchtbar, weil er diese Geschichten als a) falsch und b) gefährlich betrachtet. Gefährlich sind sie, weil sie dazu führen, dass Menschen diesem Stück Land eine Bedeutung beimessen, die seinen tatsächlichen Wert weit überschreitet. Harris dazu:

> Der Grund dafür, dass die streitenden Parteien im arabisch-israelischen Konflikt ihre Probleme nicht im Sinne eines Immobilien-Deals beilegen können, ist, dass sie irrationale und einander ausschließende Behauptungen [über das Land] aufstellen.

In Harris' Beispiel ist das Glas hier also Israel bzw. Palästina, und Elton John steht für »Gott« – eine Person in einer Geschichte, deren Verbindung mit dem »heiligen Land« dessen Wert künstlich aufbläht. Die Wurzel all der Probleme liegt für ihn in der »Gott-Geschichte«. Harris beendet dies mit den Worten:

> Wir streiten uns über den Wert dieses Glases, aber soll ich Ihnen etwas verraten? Elton John ist nie hier gewesen.

Lauter Beifall aus dem Publikum. Der moderne Mensch *muss* hier geradezu Beifall klatschen. Wir dürfen Territorien nicht über Menschenleben stellen. Es lohnt sich nicht, Blut für Palästina bzw. Israel zu vergießen. Dies ist die Art Slogan, mit der wir uns identifizieren können. Aber warum können wir das? Wegen einer anderen Geschichte, die wir uns erzählt haben – eine Geschichte über den Wert des Menschen. Menschen sind das, was wir für wertvoller erachten als alles andere – wertvoller als Land, wertvoller als Ideologien, wertvoller als erfundene Geschichten. Menschen *sind* einfach wertvoll für uns.

Aber dies wirft gleich weitere, tiefere Fragen auf: *Warum* finden wir Menschen so wertvoll? Und *was* bedeutet das? Nehmen wir noch einmal das Beispiel mit dem Glas und fragen uns, was passiert, wenn das Glas nicht für ein Stück Land steht, sondern für die menschliche Person. Und damit sind wir an einem Punkt angekommen, an dem Harris' applaudierende Zuhörer vielleicht noch einmal nachdenken sollten.

Nehmen wir irgendeinen Menschen und betrachten ihn als rein materielles Wesen. »Was würden Sie mir für den zahlen?« Wenn wir meine chemischen Bestandteile nehmen, bin ich vielleicht 30 Dollar wert. Wenn Sie mich für sich arbeiten lassen, ist es vielleicht schon mehr. Aber ist das mein *Wert*? Und wie steht es mit Ihnen? Sind Sie wertvoller als ich oder weniger wertvoll? In der einen Flasche ist ein teures

Mineralwasser, in der anderen bloß abgestandenes Regenwasser. Manche Trinkgläser sind aus Kristallglas, andere bloß aus Kunststoff. Das kann man messen und vergleichen. Aber wollen wir im Ernst mit dieser Methode *Menschen* bewerten?

Für die meisten von uns lautet die Antwort hier Nein. Was wir suchen, ist ein Wert des Menschen, der größer ist – viel größer – als unsere chemische Zusammensetzung oder unser ökonomischer Nutzen. Gibt es etwas außerhalb von uns Menschen, das größer ist als wir, das aber in einer Beziehung zu uns steht und uns unseren wahren Wert gibt? Hilferuf an einen »kosmischen Elton John«: Die Menschheit braucht dich!

Vielleicht merken wir allmählich, warum die Gott-Geschichte und die Menschenrechts-Geschichte miteinander verbunden sind. Ohne eine Gott-Geschichte (und zwar eine ganz bestimmte Gott-Geschichte) sind wir Menschen wie Treibholz in dieser Welt; wir sind auf uns selbst angewiesen, und unser ganzer Wert besteht darin, was wir »bringen« (die einen mehr, die anderen weniger). Aber wenn es irgendwo einen »Elton John« gibt, jemanden, der unendlich wertvoll ist, und wenn dieser Wert-Träger eine lebendige Verbindung zu uns Menschen hat, dann eröffnet sich eine andere Möglichkeit. Über die Verbindung zu Gott können wir Menschen viel wertvoller sein als das »Material«, das unseren Körper ausmacht, viel mehr als das Ergebnis all unserer Arbeit.

Es kommt natürlich entscheidend darauf an, auf *welche* Gott-Geschichte wir hören. Keiner der im letzten Kapitel erwähnten Schöpfungsmythen taugt zur Begründung der Würde des Menschen. In diesen Geschichten sind wir

Produkte der Gewalt und zur Sklaverei bestimmt. Aber es gibt eine andere Geschichte, mit einem anderen Gott und einem ganz anderen Ergebnis, was den Wert von uns Menschen angeht. Die Schöpfungsgeschichte in der Bibel mag für uns heute nicht weiter bemerkenswert, geschweige denn revolutionär sein, aber das liegt daran, dass wir einerseits ihre antiken Alternativen nicht mehr kennen und andererseits ihre Folgen für allzu selbstverständlich nehmen. Viele ihrer Grundaussagen sind für uns zu der Luft geworden, die wir atmen. Schauen wir uns also diesen alten Text einmal ganz neu an.

Im Anfang

»Im Anfang *Elohim* ...« So beginnt die Bibel im Wortlaut des Urtextes (1Mo 1,1). Die Grammatik im Hebräischen (der Sprache, in der das Alte Testament geschrieben wurde) ist hier merkwürdig. *Elohim*, das hebräische Wort für »Gott«, ist ein Substantiv im Plural, aber es wird immer von einem Verb im Singular begleitet. Es ist ein bisschen so, als würde man im Deutschen sagen: »Die Hunde bellt.« Es ist ein merkwürdiges Nebeneinander von Plural und Singular. Und wenn es um Gott geht, macht uns die Bibel immer wieder darauf aufmerksam, dass dieser Gott irgendwie Einheit und Vielheit in einem ist.

Die biblische Geschichte kennt keine Vielzahl von Göttern, die gegeneinander Krieg führen. Sie kennt auch keinen tyrannischen Alleinherrscher, der dem Rest der Welt seinen Willen aufzwingt. Und auch keine abstrakte »Kraft«, die ein »Ding« oder »Es« darstellt. Nein, die Bibel stellt uns einen persönlichen Gott vor, der eine Einheit aus Dreien ist; die Theologen sprechen hier von der »Dreieinigkeit« oder »Trinität«. Der Vater, der Sohn und der Heilige Geist sind im tiefstmöglichen Sinne eins. Es ist eine Einheit in der Verschiedenheit – ein Gott, der Liebe ist, wie die Bibel es später ausdrücken wird. Es ist ein einzigartiger Gottesbegriff, der zu einer einzigartigen Vorstellung von der Schöpfung führt.

Nach der hebräischen Bibel ist es dieser Gott – und dieser Gott allein –, der »den Himmel und die Erde schuf« (vgl. 1Mo 1,1). Hier finden wir das nächste Beispiel für Einheit in der Verschiedenheit. Die alte hebräische Sprache kannte, wie heute etwa das Französische und Deutsche, verschiedene grammatikalische Geschlechter. In 1. Mose 1,1 ist das Wort für »Himmel« männlich und das Wort für »Erde« weiblich. Ein Liebhaber antiker Mythen erwartet hier vielleicht eine Geschichte über die sexuelle Vereinigung (oder Eroberung) von Göttern. Doch stattdessen stehen Himmel und Erde einander gegenüber und warten auf eine ganz andere Art von Liebesgeschichte. Es sind nicht die Götter, die in der Schöpfungs-Romanze personifiziert werden, es sind die Menschen. Aber lassen wir es langsam angehen. Die Liebesgeschichte kommt noch; zuerst müssen wir uns die Bühne anschauen, auf der sie spielt.

In V. 2 kommen die Worte »wüst und leer«, »Finsternis« und »Tiefe«:

> Und die Erde war wüst und leer, und Finsternis war über der Tiefe; und der Geist Gottes schwebte über dem Wasser. (1Mo 1,2)

Ein antiker Leser würde an dieser Stelle nun einen Kampf oder Krieg erwarten. Vielleicht wird das Wasser rebellisch aufwallen, oder die Kräfte der Finsternis werden einander bekriegen. Oder es gibt einen Krieg der Götter, und die Sieger schleudern ihre Feinde in die Tiefe hinab. Doch in der biblischen Geschichte gibt es zwar eine Ur-Leere (»wüst und leer«), aber was sie füllt, sind nicht miteinander konkurrierende Götter, sondern »der Geist Gottes«, der geduldig wartet. Worauf wartet er?

> Und Gott sprach: Es werde Licht!
> Und es wurde Licht. (V. 3)

Diese Schöpfungsgeschichte hebt sich von allen anderen ab. Ebenso wie ihr Gott. In einer anderen Geschichte wäre die leere Finsternis ein Schlachtfeld; hier ist sie eine Bühne, die auf den Auftritt der Akteure wartet. Und dann bricht, wie das Licht eines unerhört starken Scheinwerfers, Gottes Wort in die Leere, mächtig und ohne Widersacher. Das Licht kommt und siegt; Gottes Schöpferwort bringt Leben hervor.

In den Versen, die jetzt folgen, geht dies weiter. Tag um Tag wird die Leere gefüllt, Potenzial entsteht, das Chaos weicht der Ordnung. Gott befiehlt durch sein Wort dem Himmel, der Erde und dem Meer zu erscheinen, und sie gehorchen, und die Lichter des Himmels beginnen zu leuchten, die Erde bringt Pflanzen hervor, das Wasser wimmelt von lebendigen Wesen. Kein Krieg, keine Eifersucht, keine Rebellion. Stattdessen ein geordnetes Fortschreiten vom Einfachen zum Komplexen, von der dunklen Leere zu strahlendem Überfluss. Schritt für Schritt entfaltet sich etwas unter der Federführung einer einzigen Schöpferstimme. Bald bringen das Land und das Meer selbst neues Leben hervor; die Schöpfung erzeugt Leben, und Leben spendet weiteres Leben.

In der Bibel ist der Kosmos keine Maschine, die nach den strengen Gesetzen der Notwendigkeit vor sich hin läuft. Er ist auch kein Kriegsschauplatz, der voller Intrigen und Gewalt ist. Er entsteht auch nicht durch den Stab eines himmlischen Zauberers. Sondern wir erleben das Entstehen eines Kunstwerkes mit, das die Frucht von Planung und Liebe ist und das wiederholt ausdrücklich als gelungen bezeichnet wird: »Und Gott sah, dass es gut war.«

Und ganz zum Schluss dann die Steigerung: »Und siehe, es war sehr gut« (V. 31). Warum? Weil der Höhepunkt der Schöpfung da ist: der Mensch. Das ganze Schöpfungswerk hat die Bühne für seinen Auftritt vorbereitet: einen Ort unter dem Himmel, auf der Erde und zwischen den Wassern.

> Und Gott sprach: Lasst uns Menschen machen als unser Bild, uns ähnlich! Sie sollen herrschen über die Fische des Meeres und über die Vögel des Himmels und über das Vieh und über die ganze Erde und über alle kriechenden Tiere, die auf der Erde kriechen! Und Gott schuf den Menschen als sein Bild, als Bild Gottes schuf er ihn; als Mann und Frau schuf er sie. (1Mo 1,26-27)

Wir hätten vielleicht erwartet, dass die ersten Seiten der Bibel uns informieren, wie Gott über die Welt herrscht. Aber zu diesem Herrschen sind *wir Menschen* berufen! Gott hat den Menschen nicht als Sklaven, sondern als König erschaffen. Männer und Frauen sind gemeinsam Könige und Königinnen des Kosmos und verkörpern das Abbild Gottes.

Der moderne Mensch mag dies mit einem gelangweilten Gähnen abtun; für die Menschen der Antike war es ein Schock. Mann und Frau gemeinsam als Bild Gottes? Als Herrscher über Gottes Welt? Ungeheuerlich! In anderen Schöpfungsgeschichten mag allenfalls der *König* als Abbild eines Gottes betrachtet werden; Tyrannen sind hier treffende Beispiele für die Herrschaft, wie die Götter sie ausüben. Aber im 1. Buch Mose finden wir ein ganz anderes Bild von Gott und damit auch vom Menschen. Wie es an einer anderen Stelle der Bibel, in Psalm 115,16, heißt: »Der Himmel ist der Himmel des HERRN, die Erde aber hat er den Menschenkindern gegeben.« Der Segen fließt von oben nach unten: vom Himmel auf die Erde, und dies *durch* uns Menschen. Herrschaft, nicht Knechtschaft ist unsere Bestimmung. Und unsere Herrschaft soll ein Bild der Herrschaft Gottes sein. Anders gesagt: Sie soll eine Macht sein, die zum Wohle derer ausgeübt wird, die keine Macht haben.

Aufsteigende Affen und gefallene Engel

Der Schriftsteller Terry Pratchett hat eine gute Darstellung zweier konkurrierender Vorstellungen von der Menschheit gegeben. Manche sehen uns als »aufsteigende Affen«, für andere sind wir »gefallene Engel«. Welche Vision ist richtig?

Bevor wir uns hier entscheiden, sollten wir zur Kenntnis nehmen, dass die Bibel beide Vorstellungen kennt. Einerseits sind wir ohne Zweifel schwache Erdlinge, die erst am Ende der Schöpfung auftreten. Das zweite Kapitel der

Bibel beschreibt anschaulich, wie der Mensch aus Staub erschaffen wird. Materiell gesehen sind wir niedrig und zerbrechlich, und unser Leben ist kurz. Doch Gott hat auch seinen Atem in uns hineingehaucht. Wir kommen von unten *und* von oben. Wir sind Erdklumpen, die der Himmel geküsst hat. Wir sind geliebter Staub. An und für sich sind wir wie jenes Ein-Dollar-Glas, aber wir tragen auch Gottes Funken in uns, und zusammen mit ihm sind wir so kostbar, dass man es nicht beziffern kann. Doch dieses unendlich kostbare Glas hat einen fatalen Sprung bekommen, wie uns das nächste Kapitel der Geschichte zeigt.

Das dritte Kapitel der Bibel berichtet vom sogenannten »Sündenfall«. Es ist ein Sturz von dem Licht und Leben der ersten beiden Kapitel hinab in Finsternis und Tod. Alles war gut gewesen, alles hatte der Stimme Gottes gehorcht. Doch dann rebellieren die ersten Menschen Adam und Eva gegen diese Stimme, gegen die Anweisungen Gottes, und das Chaos bricht herein.

Der Unterschied gegenüber den anderen antiken Schöpfungsmythen könnte größer kaum sein. In diesen Geschichten kommen Chaos und Zerbruch *vor* der Schöpfung und sind ihre ständigen Begleiter, sodass wir frei nach dem amerikanischen Songschreiber Billy Joel singen könnten: »*Wir* haben nicht gezündelt.« Aber das 1. Buch Mose erzählt eine andere Geschichte: Die Menschen *haben* gezündelt. Wir sind nicht Opfer der Welt, sondern die Welt ist *unser* Opfer. Gott hat uns das Ruder des guten Schiffes Erde anvertraut, und wir haben es auf den Grund gesetzt.

Ich gebe zu: Das ist viel zu verdauen. Ich möchte Sie hier gar nicht von der Geschichte, die das 1. Buch Mose erzählt, überzeugen; ich möchte Ihnen nur die absolut beispiellose Rolle zeigen, die die Menschen in ihr spielen. Mitten in der Katastrophe erweist uns die Bibel das ungeheure Kompliment, dass wir dafür verantwortlich sind. Himmel und Erde wurden für eine perfekte Menschheit erschaffen. Aber eine gefallene Menschheit bedeutet auch eine gefallene Welt. Gott erklärt, welche Folgen der Fall Adams und Evas hat: Mühen bei der Arbeit, Probleme in der Familie, der Kampf der Geschlechter, die Mühsal mit dem Ackerboden und unsere Sterblichkeit (1Mo 3,14-24). All dies ist unsere Schuld. Egal, für wie gerecht oder ungerecht, plausibel oder unplausibel wir das auch halten, die schiere Größe der Katastrophe zeigt die Größe ihrer Ursache – *unsere* Größe. Die Bibel schreibt die Würde des Menschen sehr groß, nicht nur was unseren Herrschaftsauftrag angeht, sondern auch, was unsere Schuld betrifft. Als Herrscher über die Erde, als Träger des Bildes Gottes *und* als kosmische Brandstifter gibt die Bibel uns Menschen eine Bedeutung, die andere Religionen für ihre Götter reservieren.

Der angebliche große Irrtum

Gegen Ende des 2. Jahrhunderts sagte Celsus, damals einer der schärfsten Kritiker des Christentums: »Der radikale Irrtum im jüdischen und christlichen Denken ist, dass es anthropozentrisch ist [den Menschen im Mittelpunkt hat]. Sie behaupten, dass Gott alle Dinge für den Menschen erschuf, doch dies ist alles andere als offensichtlich.«[11] Für Celsus war es eine ausgemachte Sache, dass »der Mensch in Gottes Augen nicht besser ist als eine Ameise oder Biene«. Womit Celsus den Fußstapfen Platons folgte. Die Vorstellung, dass Menschen ihrem Wesen nach anders als die Natur und die Tiere sind (man spricht hier auch von der »Einzigartigkeit des Menschen«), war ein Affront gegen die Vernunft und gegen die Natur. Die Christen und die Juden litten an derselben Krankheit: Sie machten viel zu viel Wirbel um den Menschen.

Die Christen machten das Problem noch schlimmer durch ihre Behauptung, dass der Sohn Gottes – den das Neue Testament als »das Wort« beschreibt, das die Welt erschuf – Mensch wurde (Joh 1,1-14). Celsus bemerkt dazu entsetzt: »Die ganze Welt und die Bahn der Himmelskörper lässt er im Stich und kümmert sich auch nicht um die weite Erde, sondern regiert uns allein.«[21] Wenn es schon ein Fall von Überheblichkeit war, zu glauben, dass Gott den Menschen seinen besonderen Segen gewährte, dann war es vollends verrückt, zu glauben, dass er *Mensch wurde*. Für Celsus war dies völliger Unsinn. Doch für einen Christen ist die Menschwerdung Gottes gerade das, was allem seinen Sinn gibt. Wenn man glaubt, dass der Mensch als Herrscher über die Welt berufen wurde, dann würde der wahre König die Bühne der Geschichte als Mensch betreten. Die Menschheit ist der Platz, den er sich schon »im Anfang« für sein Handeln erwählt hat. Mensch zu werden ist genau das, was zu *diesem* Gott passt. Und er hat dies getan, um das Ruder seiner eigenen Welt mit beiden Händen zu packen und seine Schöpfung nach Hause zu bringen.

Der von Celsus sogenannte Irrtum hat schließlich die Welt erobert. Der jedem Menschen innewohnende Wert, den er durch seine Gottesebenbildlichkeit bekommt, gehört zur Basis unserer heutigen Weltsicht. Seit der Zeit von Celsus haben wir das Ende seiner Sicht vom Menschen und den Sieg der christlichen Sicht erlebt. Gleichheit, Menschenrechte, Humanität – sie alle kommen aus dieser biblischen Wurzel.

Und hier stellt sich natürlich die Frage: Was bleibt von der Idee der Freiheit und der Menschenrechte, wenn wir diese Wurzel abschneiden?

Wenn wir Celsus fragen, antwortet er uns aus der Perspektive der heidnischen Antike: *Hört auf, den Menschen so in den Mittelpunkt zu stellen! Die Götter scheren sich nicht um uns, und in der Natur herrscht die Ungleichheit.*

Und wenn wir Harari fragen, antwortet er aus der Perspektive unserer Zeit: *Der Kampf ums Überleben ist amoralisch und grausam ungleich. Die Menschenrechte sind genauso eine Fiktion wie der Gott, der für sie als Bürge herhalten muss.*

Und beide – der alte Celsus und der moderne Harari – haben in einem Punkt recht: Die Gottes-Geschichte und die Gleichheits-Geschichte stehen und fallen miteinander. Wenn wir davon überzeugt sind, dass das Leben heilig ist, dass jeder Mensch eine unantastbare Würde und Gleichheit besitzt und dass man auf niemandem herumtrampeln darf, weil er kleiner oder schwächer oder ärmer ist, dann stehen wir auf einem definitiv biblischen Fundament. Es gibt einen roten Faden, der sich vom Schöpfungsbericht über das Neue Testament bis zu unserem Menschenrechtsdenken des 21. Jahrhunderts zieht. In den folgenden Kapiteln werden wir dies detaillierter darstellen; halten wir hier nur fest, dass dieser rote Faden sehr stark ist. Was er auch sein muss, denn an ihm hängt unsere moderne Welt.

3

Barmherzigkeit

»Treiben Sie ab und versuchen Sie es noch mal. Es wäre unmoralisch, ein solches Kind zur Welt zu bringen, wenn Sie nicht müssen.«

(Richard Dawkins, 2014)

Diesen Rat gab im Jahr 2014 der große Biologe und weltberühmte Atheist Richard Dawkins. Der Anlass war die Frage einer Frau, die auf Twitter schrieb, dass eine Schwangerschaft, bei der festgestellt würde, dass der Fötus das Downsyndrom hatte, für sie »ein echtes moralisches Dilemma« darstellen würde: abtreiben oder nicht?

Dawkins' eindeutige Antwort, die er ohne zu zögern gab, zerstreute die Bedenken der Fragestellerin und führte zu einem Online-Sturm der Entrüstung. Man verglich Dawkins mit den Eugenikern und Nazi-Ideologen, und wie in solchen Fällen nicht unüblich, machte seine darauffolgende Klarstellung die Sache nur noch schlimmer. Dawkins sagte, dass sein Rat doch nur die Position und Praxis der großen Mehrheit der Eltern im Lande wiedergebe. Er hätte noch hinzufügen können, dass die Menschen der Antike die Sache genauso sahen wie er.

Nach Platon mussten Kinder, die es wert waren, aufgezogen zu werden, »formbar, zur Tugend geneigt und körperlich gesund« sein.[22] Für Kinder, die diese Bedingungen nicht erfüllten, galt: »Die Kinder der Schwächeren oder irgendwie missgestaltete verbergen sie an einem geheimen und unbekannten Ort, wie es sich gehört.«[23] Für Aristoteles waren behinderte Neugeborene grundsätzlich auszusetzen – will sagen: auf Müllhalden oder einen Abhang hinunterzuwerfen oder in einem Brunnen oder Fluss zu ertränken. Aristoteles wörtlich: »Was aber das Aussetzen beziehungsweise das Aufziehen der Neugeborenen anbelangt, so gelte das Gesetz, kein verstümmeltes Kind aufzuziehen.«[24] Alles andere wäre unmoralisch gewesen. Der Infantizid (also das Töten Neugeborener) war in der römischen Antike (ja, in der ganzen Antike) so verbreitet, dass die erste uns bekannte Abhandlung über die Gynäkologie einen Abschnitt mit der Überschrift enthielt: »Wie man erkennt, dass ein Neugeborenes es wert ist, aufgezogen zu werden.«[25] War ein Neugeborenes es nicht »wert«, lautete der Rat: »Aussetzen und es noch mal versuchen.«

Seit Jahrtausenden geht die große Mehrheit der Kulturen in der Welt davon aus, dass wir ohne die Schwachen besser dran seien. In unserer eigenen Gesellschaft sorgt der medizinische und technologische Fortschritt dafür, dass wir »lebensunwertes Leben« schon vor der Geburt aufspüren und beseitigen können, buchstäblich im Mutterleib. Doch der Aufschrei gegen die Position von Richard Dawkins verweist auf einen tiefen Instinkt in uns auch heute. Selbst wenn wir heute behindertes Leben so heimlich und hygienisch wie möglich vernichten, bleibt ein dumpfes Gefühl, dass wir »eigentlich« die moralische Pflicht haben, die Schwachen zu beschützen – und nicht, sie zu beseitigen. Woher kommt dieses Gefühl?

Das Gift des Mitleids

Friedrich Nietzsche (1844–1900) hat den »Schuldigen« in seinem Werk *Der Antichrist* identifiziert. Für den deutschen Philosophen ist das Problem das Gift des Mitleids: »Das Mitleiden kreuzt im Ganzen Großen das Gesetz der Entwicklung, welches das Gesetz der *Selection* ist.«[26] Mit anderen Worten: Die Natur wählt die Starken aus und eliminiert die Schwachen, und wer sind wir, dass wir dieses Gesetz, das uns das Leben gegeben hat, missachten?

Man beachte, dass für Nietzsche das Wort »Gesetz« zwei Funktionen hat. Es ist einerseits Beschreibung einer biologischen Realität und andererseits Anweisung für ein ethisches Leben. Wenn es so *ist*, dass nur die Stärksten überleben (ein wissenschaftliches Gesetz), dann *sollten* auch nur die Stärksten überleben (ein moralisches Gesetz). Für Nietzsche ist die Entschlossenheit, dem Gesetz der Evolution zu folgen, das erste Prinzip wahrer Philanthropie (»erster Satz *unsrer* Menschenliebe«).[27] Menschenliebe ist für Nietzsche Liebe zur Menschheit als Gattung, und man liebt die Gattung dann, wenn man die Realitäten der natürlichen Auslese (»Selection«) erkennt und konsequent anwendet. »Die Schwachen und Missrathnen sollen zu Grunde gehn«, schreibt Nietzsche. »Und man soll ihnen noch dazu helfen.«[28]

Wenn wir das furchtbar finden (und Nietzsche wusste dies), dann nur deswegen, weil wir der Sicht des elenden Christentums erlegen sind.

> Das Christenthum hat die Partei alles Schwachen, Niedrigen, Missrathnen genommen, es hat ein Ideal aus dem *Widerspruch* gegen die Erhaltungs-Instinkte des starken Lebens gemacht.[29]

Mit anderen Worten: Die Christen haben Partei für die Minderwertigen ergriffen und setzen damit das Überleben der Gattung aufs Spiel. Ja, schlimmer noch: Sie tarnen diesen Verrat an der Menschheit als Tugend. In einem anderen Werk definiert Nietzsche das Christentum als »Ekel und Überdruss des Lebens am Leben, welcher sich unter dem Glauben an ein ›anderes‹ oder ›besseres‹ Leben nur verkleidete«.[30] Die Christen würden den Selbsterhaltungstrieb der Menschheit und ihren Aufstieg zu Macht und Größe torpedieren und hätten auch noch die Dreistigkeit, dies als ein »Ideal« zu verkaufen, wo doch jedem klar sein sollte, dass die gesunde Strategie darin besteht, uns vor den »Missratenen« zu schützen. Die Christen machten alles kaputt mit ihrer lebensfeindlichen, unnatürlichen Ethik des Mitleids …

Das Christentum als der Vorkämpfer für das Mitleid – da hat Nietzsche völlig recht. Es ist der christliche Glaube, der hinter unserem instinktiven Engagement für die Schwachen und Hilflosen steht. Ohne die Jesus-Bewegung wäre Richard Dawkins mit seiner Abtreibungsempfehlung wohl nur auf Zustimmung gestoßen.

Aber wenn wir hier ein feineres Ohr für unsere moralischen Empfindungen bekommen, Nietzsches Schlussfolgerungen über die Schwachen und »Missratenen« vermeiden, Mitleid und Barmherzigkeit als Tugend und nicht als Schwäche sehen wollen und der Meinung sind, dass eine gute Gesellschaft eine ist, die ihre schwächsten Glieder schützt und nicht ausmerzt, dann müssen wir eine massive Brandmauer zwischen den Gesetzen der Wissenschaft und denen der Ethik errichten. Wir müssen die Wissenschaft Wissenschaft und die Moral Moral sein lassen.

Wer die Moral von der Wissenschaft ableiten will, begibt sich aufs Glatteis. Die Wissenschaft beobachtet, wie die Natur das Schwache gnadenlos aussortiert und das Starke begünstigt. Wenn die Natur das so macht, was für einen Grund können wir dann dafür anführen, dass wir Menschen es anders machen? Heinrich Himmler, der Chefarchitekt des Holocaust, sagte einmal: »Der Mensch ist gar nichts Besonderes. Er ist irgendein Teil auf dieser Erde.«[31] Wenn wir nur ein Teil der Natur sind und es über dieser nichts Höheres gibt, was können wir dann anderes tun, als nach den Gesetzen der Natur zu leben? Und wir wissen ja, was die Natur macht: Sie selektiert die Starken und sortiert die Schwachen aus.

Um solch ein Denken, das Genoziden Tor und Tür öffnet, zu vermeiden, brauchen wir eine Moral, die sich aus einer Quelle jenseits bzw. über der Natur speist – eine übernatürliche Moral sozusagen. Und es gibt in der Menschheitsgeschichte eine einzigartige Bewegung, die die brutalen Gesetze der Natur durchbrochen hat. In der natürlichen Auslese geht es um das Überleben der Starken und das Opfern der Schwachen. Im christlichen Glauben geht es darum, dass der Stärkste (nämlich Jesus Christus) sich für das Überleben der Schwächsten (das sind wir) geopfert hat. Dies ist eine moralische Revolution, die die Nietzsches dieser Welt zutiefst verwirrt und den »Missratenen« Hoffnung bringt. Und im Zentrum dieser Revolution steht ein Gottesbild, das seinesgleichen sucht.

Gottes Ebenbild

»Wie sieht es aus, wenn Gott erscheint?« Dies war der Titel eines Vortrags, den ich als Gastprediger in einer mir bisher unbekannten Gemeinde hielt. Sie hatten dort offenbar einen guten Publicity-Manager, denn als ich an der Kirche ankam, stand am Eingang ein großes Schild mit der Aufschrift: »Wie sieht es aus, wenn Gott erscheint?« So weit, so gut. Aber direkt daneben prangte, wie als Antwort auf die Frage, ein Bild mit meinem Gesicht. Was die Besucher nur als tiefe Enttäuschung erleben konnten. Oder auch als Gotteslästerung. Sieht Gott wie ein Australier mittleren Alters mit einer schiefen Nase aus? Und wenn nicht, wie sieht er dann aus? Ein *Bild* oder *Ebenbild* von Gott – wer oder was könnte das sein?

Wenn Sie jemand aus dem alten Orient gefragt hätten, hätte dieser vielleicht geantwortet: »Der König.« Schließlich stellte er sich auch die Götter als (ziemlich tyrannische) Könige vor. Ein griechischer Philosoph hätte vielleicht gesagt: »Das Universum.« Platon sah die Welt, in der wir leben, als Schatten eines göttlichen Lichtes.

Doch wenn wir die Bibel aufschlagen, dann ist die Antwort auf die Frage, wer Gottes Ebenbild ist, wahrhaft erstaunlich: *wir.* Wie wir in dem letzten Kapitel sahen, sind die Menschen – Männer wie Frauen – Ebenbilder Gottes. Nein, Gott ist nicht wie wir, sondern wir sind ihm ähnlich. Hier, auf den ersten Seiten der Bibel, liegt ein Schatz vergraben, der kostbarer ist als die ganze Welt, denn hier steht, dass wir kostbarer sind als die ganze Welt. Und wir bekommen diesen Wert nicht aufgrund unserer Kraft oder Rasse, unseres Geschlechts oder Rangstellung, sondern schlicht, weil wir zur menschlichen Familie gehören.

Die Bibel ist eindeutig: Heinrich Himmler lag falsch. Wir sind mehr als »irgendein Teil auf dieser Erde«; wir sind die Herrscher über die Erde. Der Mensch wurde geschaffen, um zwischen Himmel und Erde zu stehen; beauftragt von oben, um das zu verwalten, was unten ist. Die Güte und die Liebe Gottes fließen von oben nach unten.

Von oben nach unten, bis zu den Elenden. Später in der Bibel, als es um die »Erwählung« Israels geht, sagt Gott klipp und klar, *warum* er ausgerechnet dieses Volk erwählt hat:

> Dich hat der HERR, dein Gott, erwählt, dass du ihm zum Volk seines Eigentums wirst aus allen Völkern, die auf dem Erdboden sind. Nicht weil ihr mehr wäret als alle Völker, hat der HERR sich euch zugeneigt und euch erwählt – ihr seid ja das geringste unter allen Völkern –, sondern wegen der Liebe des HERRN zu euch … hat der HERR euch mit starker Hand herausgeführt und dich erlöst aus dem Sklavenhaus, aus der Hand des Pharao, des Königs von Ägypten.
> (5Mo 7,6-8)

Gott liebte das hilflose Israel, und diese Liebe erreichte es just zu dem Zeitpunkt, als es in Ägypten »ganz unten« war. Die Befreiung Israels aus der Sklaverei – der sogenannte »Exodus« – ist *das* Schlüsselereignis des Alten Testaments. Indem er die Israeliten aus der Hand ihrer Unterdrücker herausriss und sicher durch das Schilfmeer brachte, stand Gott einem verachteten, hilflosen Volk gegen die damalige Supermacht bei und führte es ins Land der Verheißung – »ein Land, das von Milch und Honig überfließt« (2Mo 3,8).

Und er tat dies nicht, weil Israel stärker oder besser gewesen wäre als die anderen Völker. Er liebte die Ungeliebten, um sie liebenswürdig zu machen und zu Botschaftern seiner Liebe zu der Welt. Und dahinter stand seine Barmherzigkeit. Dies ist das Grundmuster von Gottes Handeln in der ganzen Bibel: Barmherzigkeit, die nach unten fließt und die erreicht, die »ganz unten sind«. Sie erreicht die Menschen dort, wo sie am schwächsten sind, und stellt sie auf die Füße, damit sie Gottes Segen weitertragen können.

Im weiteren Verlauf der hebräischen Bibel (Christen nennen sie das »Alte Testament«) werden wir Zeugen, wie Gott durch die, die »ganz unten« waren, arbeitete und die Welt veränderte. Während andere Völker sich ihrer Könige rühmten, waren nur wenige der Helden Israels Könige und nur wenige seiner Könige Helden. Selbst die allerbesten Könige (David und Salomo) waren nicht nur große Helden, sondern auch große Versager. Andere Völker prahlten mit ihren hochgerüsteten Armeen; Israel war ein militärischer Winzling, der seine größten Siege mit Steinschleudern, Hörnern und Zeltpflöcken errang (1Sam 17; Ri 7 und 4).

Andere Königreiche besangen ihre Größe; Israels Lieder waren voll von seinen Fehlern und Versagen. Für viele Menschen der Antike waren Ruhm und Ehre das, was dem Leben Sinn gab; den Juden sagte ihr Gott: »Du trachtest nach großen Dingen für dich? Trachte nicht danach!« (Jer 45,5). Israel war für seine mächtigen Nachbarn in jeder Hinsicht ein Rätsel.

Vom 8. bis zum 1. Jahrhundert v. Chr. wurden die Israeliten von einer Supermacht nach der anderen verschlungen und wieder ausgespuckt – den Assyrern, den Babyloniern, den Medern und Persern, den Griechen und schließlich den Römern –, aber nie verloren sie das Wissen, dass sie Gottes erwählte Träger seiner Rettung und Hoffnung sind. Als »Volk des Buches« besaßen sie etwas – nämlich die Gebote und Verheißungen Gottes –, das nicht zerstört werden konnte, und wenn die Fülle der Zeit gekommen war, würde die größte aller Verheißungen erscheinen: der Messias.

Jesaja, der im 8. Jahrhundert v. Chr. wirkte, war einer von vielen Propheten, die von diesem kommenden König sprachen – dem von Gott erwählten »Gesalbten« (das hebräische Wort ist *Messias*, das griechische *Christus*). Im 61. Kapitel hat Jesaja Folgendes über den Messias zu sagen:

> Der Geist des Herrn, HERRN, ist auf mir;
> denn der HERR hat mich gesalbt.
> Er hat mich gesandt, den Elenden frohe Botschaft zu bringen,
> zu verbinden, die gebrochenen Herzens sind,
> Freilassung auszurufen den Gefangenen

> und Öffnung des Kerkers den Gebundenen,
> auszurufen das Gnadenjahr des Herrn …
> (Jes 61,1-2)

Dies war die tiefste Hoffnung des Volkes Gottes: das Kommen des Messias, der fleischgewordenen Barmherzigkeit.

Die Barmherzigkeit wird Mensch

Als er endlich kam, erfüllte der Messias die Erwartungen und enttäuschte sie zugleich. Der lang erwartete König sah überhaupt nicht königlich aus. Das fing schon mit seiner Herkunft an: Er war ein Niemand aus einer Stadt, die keiner kannte. Rowan Williams, der ehemalige Erzbischof von Canterbury, versuchte, ihn in unsere Gegenwart zu holen, indem er ihn mit einem Automechaniker in Basra verglich, zu der Zeit, als die Amerikaner den Irak besetzt hielten.[32] Führen wir dieses Beispiel einmal weiter: Jesus ist wie ein irakischer Automechaniker, der allen Konfliktparteien eine Friedensbotschaft bringt und zum Schluss in dem berüchtigten Gefängnis Abu Ghraib zu Tode gefoltert wird. Aber das ist noch nicht alles: Kurz nach seinem elenden Tod wird er von immer mehr Menschen als der Herr und Erlöser der Welt angebetet. *So* ein Folteropfer ist Jesus.

Was das Neue Testament uns über das Leben Jesu mitteilt, scheint so paradox. Er war das göttliche Wort in Person, mit dem verachteten Akzent aus dem Norden (Joh 1,1; Mt 26,73). Er war der König des ganzen Alls, der die Gestalt eines Sklaven annahm (Phil 2,7). Er war der Schöpfer der Welt, der den Beruf eines Zimmermanns ausübte, bis er mit etwa 30 Jahren den Hammer weglegte, sich eine Schriftrolle nahm und einer Kleinstadtgemeinde eine Predigt hielt – über die gerade zitierte Stelle in Jesaja 61. Als er den Predigttext vorgelesen hatte, erklärte er den staunenden Zuhörern: »Heute ist dieses Schriftwort, das ihr eben gehört habt, in Erfüllung gegangen« (Lk 4,21; NeÜ).

Es war eine Behauptung, wie sie kühner nicht sein konnte: Jesus bezeichnete sich selbst als die Erfüllung der alten Prophetien, als Überbringer der frohen Botschaft, als der, der die zerbrochenen Herzen heilt, als Befreier der Unterdrückten – kurz: als Messias. Worauf seine Zuhörer ihn umbringen wollten und er nur durch Flucht dem verfrühten Märtyrertod entging. So ging es die nächsten drei Jahre weiter, bis Jesu Feinde ihn schließlich endgültig zur Strecke brachten. Er brachte eine Botschaft der Hoffnung und Versöhnung, auf die seine Zuhörer mit Feindseligkeit und Ablehnung reagierten. Und in diesem Konflikt blieb Jesus stets der Barmherzige.

In den Evangelien (den Jesus-Biografien in der Bibel) ist das Wort, das mehr als jedes andere Jesu Empfindungen beschreibt, das Wort »Mitleid«. Im griechischen Urtext greifen die Autoren hier zu einem Wort, das man als Verbform des Wortes für »Eingeweide« beschreiben kann.[33] Heute reden wir, wenn wir über Liebe sprechen wollen, romantisch vom »Herzen«, aber die Völker der Antike wussten, dass unsere tiefsten Gefühle eher in unseren Eingeweiden sitzen. Diese an die Nieren gehende Barmherzigkeit war bei Jesus so deutlich, dass die Autoren der Evangelien sie immer wieder erwähnen. Wenn er Menschen heilte oder ihr Leben neu machte (vgl. Mt 20,34; Mk 1,41; Lk 7,13), war er immer von tiefstem Mitgefühl bewegt. Und wo er in seinen

Gleichnissen selbst als handelnde Person auftritt, achtet er darauf, seine Motive zu zeigen. Er ist wie ein Herr, der einem Schuldner eine Riesensumme erlässt, wie ein Vater, der den missratenen Sohn wieder aufnimmt, wie der barmherzige Samariter, der einen Schwerverletzten rettet (Mt 18,27; Lk 15,20; 10,33). Er ist der große Mitleidige, dem das, was er sieht, zu Herzen geht.

Das letztgenannte Gleichnis vom barmherzigen Samariter (Lk 10,25-37) ist vielleicht das bekannteste. Ein Reisender wird von Räubern überfallen und als tot liegen gelassen. Zwei religiöse Würdenträger machen einen großen Bogen um ihn. Nur ein verachteter Samariter (ein Fremder, der eine andere Religion hat) hat Mitleid mit dem Überfallenen. Er leistet Erste Hilfe, bringt ihn in ein Gasthaus und gibt dem Wirt genügend Geld, um den Mann gesund zu pflegen. Es ist ein Bild für die Liebe Christi, der sich zu uns herabbeugt. Und eine Herausforderung für alle, die ihm nachfolgen wollen: »Geh hin und handle du ebenso!« (Lk 10,37).

Barmherzigkeit kennzeichnete das Leben Jesu, und sie sollte auch das Kennzeichen eines jeden Christen sein. Für römische Ohren war dies jedoch etwas Unerhörtes. Den meisten von uns hat die Vorstellung, dass Gott die Welt liebt, etwas zu sagen (selbst wenn wir nicht an Gott oder seine Liebe glauben); in der Welt des alten Rom war sie, in den Worten des Historikers Larry Hurtado, »etwas absolut Fremdes, ja, Lächerliches«. Uns ist die Idee einer »Ethik der Liebe« etwas Geläufiges, aber Historiker »kennen einfach keine andere religiöse Gruppierung aus der Zeit des

Römischen Reiches, in deren Rede oder Lehre die Liebe eine solch zentrale Rolle spielte«[34].

Die römische Religion war etwas völlig anderes. Sie hatten ja bereits ihren »Sohn Gottes«: den Kaiser. Caesar Augustus (27 v. Chr.–14 n. Chr.) wurde »Herr«, »Heiland der Welt« und »Sohn Gottes« genannt. Der »Gott«, dessen (Adoptiv-) Sohn er war, war Julius Caesar, der sich rühmte, eine Million Gallier getötet und eine weitere Million versklavt zu haben. (Gallien war ungefähr das heutige Frankreich.) Es ist nicht sicher, wie exakt diese Zahlen sind, aber sie brachten Caesar keine Schande, sondern Ehre. Wer so etwas fertiggebracht hatte, musste ein Großer, ja, göttlich sein.

Jesu Begegnung mit kaiserlicher Macht war das genaue Gegenteil. Als ihm am Ende der Kreuzigung ein römischer Centurio einen Speer in die Seite sticht, um seinen Job abzuschließen, stoßen zwei sehr unterschiedliche Bilder von Größe zusammen: hier der Centurio als Vertreter der kaiserlichen Macht, dort Jesus, das verachtete, unschuldige Opfer menschlicher Ungerechtigkeit.

An welchem Ende des Speers ist nun die wahre Größe zu finden, die wahre Herrlichkeit, die wahre Macht? Der Apostel Paulus erklärte im Namen aller Christen, dass *Jesus* »das Bild des unsichtbaren Gottes« war, der »Frieden gemacht hat durch das Blut seines Kreuzes« (Kol 1,15.20). Für die Bibel gibt es nichts Göttlicheres als diesen Gekreuzigten. Hier ist Liebe in ihrer tiefsten Kraft: Der höchste Herrscher steigt hinab in die größte Tiefe, um die Welt in seine Arme zu schließen. Als Opfer stiftet er Frieden, mit ausgestreckten Armen, sogar für seine Feinde: So ist Gott!

Religion der Barmherzigkeit

Gott als die fleischgewordene Barmherzigkeit. Da ist es kein Wunder, dass die Jesus-Bewegung von der ersten Stunde an versuchte, vom barmherzigen Samariter zu lernen. Das Engagement für die Schwachen und Kranken wurde zu etwas, was typisch für die *Christen* war.

Nein, die Christen haben die Medizin nicht erfunden. Die Griechen hatten ihre Ärzte und medizinischen Handbücher, die Römer ihre »Krankenstationen« für Sklaven und Soldaten. Doch diese Stationen existierten nur, um die ökonomische oder militärische Arbeitskraft dieser Kranken und Verwundeten wiederherzustellen. Die Christen führten, dem Vorbild des barmherzigen Samariters folgend, etwas ganz Neues ein: Gesundheitsfürsorge für alle. Der Theologe und Religionswissenschaftler David B. Hart gibt uns einen Einblick in die Entwicklung der 1. Jahrhunderte n. Chr.:

> Ephraem der Syrer (ca. 306–373 n. Chr.) richtete Spitäler für die Erkrankten ein, als die Stadt Edessa von der Pest heimgesucht wurde. Basilius der Große (329–379) gründete in Kappadozien ein Krankenhaus mit einer Aussätzigenstation; er pflegte die Aussätzigen mit seinen eigenen Händen. Benedikt von Nursia (ca. 480–547) eröffnete in Monte Cassino ein Spital, das für alle offen war, und machte die Krankenpflege zu einer der Hauptaufgaben für seine Mönche. In Rom gründete die christliche Adlige und Gelehrte Fabiola (ca. 399 gestorben) das erste öffentliche Krankenhaus in Westeuropa. Ihr Reichtum und ihr Ansehen hinderten sie nicht daran, oft persönlich

> durch die Straßen zu gehen, um Hilfsbedürftige aufzusuchen. Johannes Chrysostomos (347–407) nutzte seine Position als Bischof von Konstantinopel zur Finanzierung mehrerer Krankenhäuser in der Stadt.[35]

Die Vorreiter dieses Engagements für die Armen und Kranken waren die führenden Vertreter der Kirchen. Tätige Nächstenliebe war ein fester Bestandteil des Glaubens und des Christenlebens, und die Bischöfe gingen hier mit gutem Beispiel voran. Sie standen »kleinen Wohlfahrtsstaaten« vor,[36] deren Größe und Infrastruktur nach dem Übertritt des römischen Kaisers Konstantin zum Christentum (312 n. Chr.) weiter wuchsen.

Mit dem 5. Jahrhundert kam, in den Worten des Mediävisten James William Brodman, eine »wahre Kaskade von Spitälern«.[37] Im Mittelalter wurden in Westeuropa allein durch die Benediktinermönche über 2000 Krankenhäuser gegründet.[38] Diese Bewegungen waren durch und durch christlich. Wer heute Erste Hilfe braucht, sucht nach einem grünen Kreuz auf weißem Hintergrund – das internationale Zeichen. Und dann natürlich das Rote Kreuz, dessen Slogan in England verdächtig nach einem Resümee des Gleichnisses vom barmherzigen Samariter klingt: »Refusing to ignore people in crisis« (»Wir lassen Menschen in Not nicht allein«). Der barmherzige Samariter lebt weiter, ja, er ist zu einer Selbstverständlichkeit geworden.

Aber eigentlich ist hier überhaupt nichts selbstverständlich. Natur bedeutet »Zähne und Klauen«, wie der Dichter Alfred Tennyson es formulierte.[39] Barmherzigkeit ist nichts Natürliches; sie ist etwas buchstäblich »Über-Natürliches«.

Übernatürlich

Ich weiß: Das Wort »übernatürlich« stößt manche ab. Wer glaubt denn heute noch an das »Übernatürliche«? Wo sind die Beweise? Aber der Glaube an das Übernatürliche ist allgegenwärtig. Er zeigt sich in all den Reaktionen auf Dawkins' Tweet. Er regt sich, wenn wir Nietzsches erbarmungslose Philosophie abstoßend finden. Oder wenn wir Jesus Christus für ein besseres Beispiel für »Größe« halten als Julius Caesar. Wenn Sie davon ausgehen, dass es Werte (wie z. B. Mitleid und Barmherzigkeit) gibt, die über dem evolutionären Gesetz der Selektion stehen, und dass im Konfliktfall diese Werte gelten sollten, dann glauben Sie bereits an das Übernatürliche. Und schon kommt plötzlich ein Christ und fragt Sie: »Wo sind deine Beweise?«

Ich möchte Ihnen einige der Beweise nennen, die Christen für *ihre* Sicht der Dinge anführen können. Im 1. Jahrhundert unserer Zeitrechnung wurden einige bemerkenswerte Werte in eine brutale Welt eingeführt, die uns bis heute prägen. Diese Werte waren bereits in der hebräischen Bibel enthalten, aber dann geschah etwas, das dazu führte, dass die Barmherzigkeit die Ufer Israels übertrat und begann, die Welt zu durchfluten.

Christen erklären dies so: Wir sagen, dass die Welt barmherziger wurde, weil die Güte und Menschenliebe persönlich in ihr erschienen war – in Menschengestalt (vgl. Tit 3,4). Jesus ist die Barmherzigkeit in Person. Er kam in die gnadenlose natürliche Welt und erlitt ihre Brutalität. Aus Liebe wählte er das Kreuz. Dort am Kreuz wurde Christus, der Stärkste der Welt, für uns, die Schwächsten, geopfert, damit wir, die Schwächsten, überleben – ja, mehr noch, damit wir vom Tod auferstehen, Vergebung bekommen und mit dem Leben des Geistes Christi erfüllt werden.

Dies ist die Botschaft, die im 1. Jahrhundert die Jesus-Bewegung entstehen ließ. Neue Bewegungen in der Menschheit entstehen im Allgemeinen durch besondere Leistungen von Menschen. Doch die Jesus-Bewegung ist eine Bewegung des Geistes Gottes; sie ist ein Angebot für die, die »ganz unten« sind, und setzt das, was sie von Gott bekommt, ein, um den Bedürftigen zu dienen.

Wie sieht diese Bewegung konkret aus? Jesus hat seinen ersten Jüngern die Unterscheidungsmerkmale deutlich gemacht:

> Ihr wisst, dass die, die als Herrscher über die Völker betrachtet werden, sich als ihre Herren aufführen und dass die Völker die Macht der Großen zu spüren bekommen. Bei euch ist es nicht so. Im Gegenteil: Wer unter euch groß werden will, soll den anderen dienen; wer unter euch der Erste sein will, soll zum Dienst an allen bereit sein. Denn auch der Menschensohn ist nicht gekommen, um sich dienen zu lassen, sondern um zu dienen und sein Leben als Lösegeld für viele hinzugeben. (Mk 10,42-45; NGÜ)

Wer heute andere seine Macht spüren lässt, bekommt automatisch Punkteabzug. Der »dienende Leiter« ist unter Unternehmensberatern geradezu ein Klischee geworden. Auf Facebook lesen wir, dass eine Gesellschaft danach beurteilt werden sollte, wie sie mit ihren schwächsten Gliedern umgeht. Und in vielen christianisierten Ländern nennt man die Mitglieder der Regierung »Minister«. Das Wort *Minister* bedeutete ursprünglich »Diener«. Ein Minister ist jemand, der seinem Land zu dienen hat, und der *Premierminister* ist sozusagen der Erste Diener. Wenn Sie einen Beweis für die christliche Revolution suchen, bitte, hier ist er. In der Antike nannten sich die Herrscher »Götter«; jetzt sind sie »Diener«.

Natürlich tun sich unsere Minister oft recht schwer mit der Barmherzigkeit und der Menschenliebe, die Christus widerspiegeln sollten, und den einfachen Bürgern geht es nicht besser. Aber die Werte, nach denen wir die Regierenden und unsere Mitmenschen beurteilen, behalten ihre Gültigkeit. Barmherzigkeit ist zum allgemein anerkannten Maßstab geworden.

Gladiatoren, Mülldeponien und Gott

> Ihr besucht keine Schauspiele, nehmt an den Festzügen nicht teil … ihr verabscheut die Spiele zu Ehren der Götter …[40]

Dieser Vorwurf gegen die ersten Christen war typisch für die Reaktion der Römer auf die kräftig wachsende Jesus-Bewegung. Diese Christen konnten einen verrückt machen. Sie boykottierten die Gladiatorenspiele und die staatliche Religion und weigerten sich, den Kaiser anzubeten, da für sie allein Christus der Herr war. Das machte sie in den Augen der Römer zu Feinden der Menschheit, mit dem Ergebnis, dass die Christen nun zwar keine *Zuschauer* bei den Gladiatorenspielen mehr waren, aber dafür manchmal *Teilnehmer* wider Willen wurden, indem man sie den Löwen zum Fraß vorwarf. Doch die Würde, mit der sie in den Tod gingen, verwandelte für die Tausenden auf den Rängen die blutige Unterhaltung, zu der sie zusammengekommen waren, in ein Schauspiel einer ganz anderen Art: In der Arena wurde der Blutdurst des Reiches mit sich aufopfernder Liebe konfrontiert. Der Weg Christi setzte sich durch und ließ sich nicht aufhalten.

Erst im Jahr 401 wurden die Spiele durch einen Erlass des christlichen Kaisers Honorius verboten. (Wie wir noch sehen werden, braucht es seine Zeit, bis geistliche Realitäten in einzelnen Christen und Kirchen Fuß fassen; bei Herrschern und ihren Reichen kann es Jahrhunderte dauern.) Aber der Historiker William Lecky liegt richtig, wenn er schreibt: »Es gab in der Moralgeschichte der Menschheit wohl kaum eine Reform, die so wichtig war wie die Abschaffung der Gladiatorenspiele – ein Meilenstein, der fast ausschließlich der christlichen Kirche zugeschrieben werden muss.«[41]

Es erstaunt nicht, dass zu dieser Abschaffung ein Märtyrer entscheidend beigetragen haben soll. Es heißt, dass Kaiser Honorius tief bewegt war von der Tat eines Mönchs namens Telemachus, der eines Tages die Arena betrat, um dem sinnlosen Gemetzel ein Ende zu bereiten. Er stellte sich mutig zwischen die Gladiatoren, worauf der wütende Zuschauermob ihn steinigte. Doch es liegt eine Kraft im Opfer – die Kraft, Angst und Gewalt zu überwinden. Telemachus' Beispiel bewegte die Herzen der Massen und erreichte das Ohr des Kaisers, und es kam zu einer Revolution. Wie das Blut des Herrn, dem er nachfolgte, wurde auch Telemachus' Blut zu einem Segen; sein Opfer veränderte Herzen, sein Tod stiftete Frieden, und sein Martyrium erwies sich als siegreich.

Eine ähnliche Geschichte lässt sich über das Ende der Praxis der Säuglingsaussetzung erzählen. Auch dazu sagten die Christen entschieden Nein, verbunden mit aufopferungsvoller Nächstenliebe. Schon in den ersten Gemeinden wurden Kollekten für die Armen und Kranken durchgeführt – und zwar nicht nur für die aus den eigenen Reihen, sondern auch für die Armen und Kranken der heidnischen Umwelt. Dass da für Menschen gesorgt wurde, die nicht zum eigenen Familienclan gehörten, war in der Welt der Antike etwas Unerhörtes. Im Laufe der Zeit entwickelten sich richtige »Sozialstationen«, die von den Bischöfen geleitet wurden; Spitäler und Waisenhäuser entstanden.[42] Es war diese Kombination aus Wort und Tat, die schließlich auch zu entsprechenden Gesetzen führte. Im späten 4. Jahrhundert erließ der christliche Kaiser Valentinian I. ein Gesetz, das Eltern dazu verpflichtete, ihre Kinder selbst aufzuziehen, sowie ein Verbot des Infantizids. Aber was das Denken in der Gesellschaft wirklich veränderte, waren nicht die neuen Gesetze, sondern die veränderten Herzen. Eine neue Art von Heldentum breitete sich in der Welt aus. Es zeigte sich in Mönchen wie Telemachus oder Nonnen wie Macrina (330–379), die unter anderem regelmäßig Müllhalden nach ausgesetzten Säuglingen durchsuchte, die sie dann in ihre Gemeinschaften aufnahmen.

Dies waren die Geschichten, die die Herzen der Menschen ergriffen, denn im Zentrum des neuen Glaubens stand der Ur-Märtyrer, der Gott, der hinabgestiegen war. Es war ein Gott, der sich nicht scheute, auf eine Müllhalde zu gehen (also an den Ort, wo die Römer gewöhnlich ihre Kreuzigungen vornahmen). Und dies war nicht nur eine Realität von Ostern;

Jesus schickt die, die ihm nachfolgen, zu den Hungernden, den Asylsuchenden, den Kranken und Gefangenen und sagt: »Was ihr einem dieser meiner geringsten Brüder getan habt, habt ihr mir getan« (Mt 25,40).

Was suchte Macrina auf den Müllhalden? Die tiefste Antwort ist: Gott. Dort, unter den »Schwachen und Missratenen«, hat sie und haben die vielen, denen sie zum Vorbild wurde, ihn gefunden.

Ja, das Übernatürliche erscheint, und wenn es sichtbar wird, hat es das Antlitz sich aufopfernder Liebe.

4

Freiwilligkeit

»Wie viel ist ein kleines Mädchen wert?«

(Rachael Denhollander, 2018)

Rachael Denhollander war die letzte von 169 Frauen, die als Opfer vor Gericht aussagte. Ein paar Jahre zuvor war sie als eines der ersten Opfer des Serien-Sexualstraftäters Larry Nassar an die Öffentlichkeit getreten.

Nassar hatte im Laufe von Jahrzehnten im Rahmen seiner Berufsausübung mindestens 265 Mädchen und junge Frauen missbraucht. Als Teamarzt im amerikanischen Turnverband *USA Gymnastics* nutzte er seine Position aus, um sich an den ihm anvertrauten Turnerinnen zu vergehen. Als er vor Gericht stand und man über das Strafmaß beriet, lenkte Denhollander, eines von Nassars Opfern und mittlerweile selbst Rechtsanwältin, die Aufmerksamkeit des Gerichts auf eine ganz bestimmte Frage: »Wie viel ist ein kleines Mädchen wert?«

Am Ende ihrer packenden 37-minütigen Aussage wandte sie sich mit den folgenden Worten an die vorsitzende Richterin:

> Richterin Aquilina, ich flehe Sie an, während Sie über das Urteil für Larry nachdenken: Geben Sie die Botschaft weiter, dass diese Opfer alles wert sind. ... Ich flehe Sie an, im Rahmen der Verständigung über das Strafmaß die Höchststrafe zu verhängen, denn diese Überlebenden haben unendlichen Wert.[43]

Die Richterin verurteilte Nassar zu mehreren Freiheitsstrafen zwischen 40 und 175 Jahren, zusätzlich zu den 60 Jahren, die er bereits bekommen hatte. Nassar würde nie wieder ein freier Mann sein. »Ich habe soeben Ihr Todesurteil unterschrieben«, kommentierte die Richterin. Die Botschaft war klar: Mädchen – Opfer, Hinterbliebene, Verletzte – haben einen unendlichen Wert.

Man beachte, dass es selten zu solchen Gerichtsurteilen kommt. Man schätzt, dass in Großbritannien von 200 gemeldeten Fällen von Vergewaltigung ganze drei vor Gericht landen.[44] Aber Denhollanders Frage dürfte den meisten von uns an die Nieren gehen. Sie lautet: *Wie viel ist ein kleines Mädchen wert?*, und es drängt uns, zu antworten: *Unendlich viel.* Die traurige Tatsache, dass jedes vierte Mädchen und jeder sechste Junge vor dem 18. Lebensjahr sexuellen Missbrauch erlebt, bricht uns das Herz. Pädophilie gilt in unseren Gesellschaften als der Gipfel des Verbrechens, in den Gefängnissen stehen Sexualstraftäter ganz unten in der Hackordnung. Und während wir diese Haltung als eine der grundlegendsten, universellsten und selbstverständlichsten moralischen Einstellungen überhaupt ansehen, ist sie historisch gesehen ganz und gar nicht selbstverständlich.

Hätte man jemanden im alten Rom gefragt, wie viel ein Mädchen wert ist, hätte man verschiedene Antworten bekommen. Z. B. dass es nichts kostete, wenn man ein weibliches Neugeborenes von dem Abfallhaufen aufsammelte, auf den seine Mutter es geworfen hatte. Wenn ein Sklavenhändler schneller gewesen war, hatte man ihm z. B. acht Monatslöhne dafür zu zahlen, um das Mädchen zu kaufen.[45] Sobald man es besaß, konnte man mit ihm machen, was man wollte: »Es ist allgemein anerkannt, dass jeder Herr das Recht hat, seinen Sklaven zu benutzen, wie es ihm beliebt.«[46] Und dem, der ein Mädchen als Sexobjekt nicht besitzen, sondern lediglich hin und wieder benutzen wollte, standen die zahlreichen Bordelle offen. Prostitution war, in den Worten des Historikers Kyle Harper, »eine fest etablierte Institution, die am helllichten Tag gedieh. Die Sexindustrie war ein fester Bestandteil der moralischen Ökonomie der Antike«[47]. Ein kurzer Besuch im nächsten Bordell (und Bordelle gab es überall) kostete kaum mehr als ein Laib Brot.[48]

Noch einmal: Wie viel ist ein Mädchen wert? Wir antworten: Unermesslich viel. Aber in anderen Epochen der Geschichte hätte man uns ausgelacht. Was ist der Grund für diesen krassen Unterschied? Mit einem Wort: das Christentum.

Als Missbrauch die Norm war

Im Laufe der letzten 20 Jahrhunderte wurden etliche Christen schlimmer Sexualverbrechen für schuldig befunden. Manche schafften es in die Schlagzeilen, andere nicht, und oft waren die Vertuschungsaktionen nicht weniger teuflisch als die Vergehen selbst. Christen können Sexualstraftäter sein. Aber die christliche Revolution hat uns überhaupt erst den *Begriff* des sexuellen Missbrauchs gegeben, der in der Kultur, in der das Christentum seinen Siegeszug antrat, völlig unbekannt war. Kyle Harper schreibt über das alte Rom: »Die totale, gewaltsame Ausbeutung von Frauen bei deren gleichzeitiger völliger juristischer Schutzlosigkeit wurde schlicht nicht als soziales Problem wahrgenommen.«[49] Ein frei geborener römischer Mann hätte mit unserem modernen Begriff des sexuellen Missbrauchs nichts anfangen können, da er ein selbstverständliches Recht auf die Körper von sozial unter ihm stehenden Frauen, Kindern, Prostituierten und Sklaven hatte. Was wir heute sexuellen *Miss*brauch nennen, war für ihn damals der legitime *Ge*brauch von Sex.

»Der Einfluss der sozialen Stellung bei der Festlegung von Grenzen im Sexualleben war im Römischen Reich etwas, was man gar nicht genug betonen kann.«[50] Wichtig war nicht die Zustimmung, das Alter oder das Geschlecht des Sexpartners, sondern sein Rang. In der damaligen Ehren- und Schamkultur war ein bestimmtes Verhalten nicht *an sich* »gut« oder »verwerflich«, sondern dies hing ganz von der Position des Betreffenden ab. Es war, um Kyle Harpers Formulierung zu folgen, eine Welt der Ehre und der Schande und nicht der Sünde. Was zählte, war der »Gesichtsverlust«, und nicht, dass da ein Gesetz verletzt wurde (geschweige denn ein Mensch). Ein Sexualpartner, der sowieso schon sozial unten stand (und wer stand nicht *unter* einem römischen Bürger männlichen Geschlechtes?), konnte selbst nichts »verlieren«, er war Freiwild.

Es gab Ausnahmen, die tabu waren. Die Keuschheit von Frauen und Ehefrauen von hoher Geburt war um jeden Preis zu schützen. Es herrschte eine ebenso offene wie ungenierte Doppelmoral für Männer und Frauen. Selbst das absolute sexualmoralische Schlüsselwort – »Sittsamkeit« – konnte je nach Geschlecht Verschiedenes bedeuten. Für eine Frau bedeutete es Treue in der Ehe und Jungfräulichkeit vor der Ehe (allerdings brauchten Mädchen nicht lange auf die Ehe zu warten; die Verheiratung von Zwölfjährigen war an der Tagesordnung). Und der Mann? Hatte die Sittsamkeit solcher Frauen zu respektieren, die sie besaßen. (Sklaven und Prostituierte besaßen diese Eigenschaft natürlich nicht.)

All dies bedeutete, dass der Ehebruch (also der Geschlechtsverkehr mit der Frau eines anderen) ein sehr ernstes Vergehen war, aber gewöhnlich keines, das man aus Leidenschaft beging. Angesichts der breiten Verfügbarkeit von Sex über das Prostitutionsgewerbe war Ehebruch meist mehr eine »diplomatische« als eine erotische Sache. Er war eine schlimme Beleidigung des gehörnten Ehemannes, ja, der gesellschaftlichen Ordnung. Der Ehebrecher zerstörte »sein eigenes Schamgefühl, seine Selbstbeherrschung und seinen guten Ruf als Bürger und Nachbar«[51]. Man erwartete von einem römischen Bürger also eine gewisse Mäßigung seiner Triebe. Das bedeutete das Wort »Sittsamkeit« für die Sexualethik des *Mannes:* nicht Keuschheit, sondern Selbstbeherrschung. In der Praxis bedeutete dies, dass Sklavinnen und Prostituierte häufig als Blitzableiter für die sexuellen Gelüste der Männer herhalten mussten, damit diese die verheirateten Frauen in Ruhe ließen. Es war kein Widerspruch, wenn ein Mann ins Bordell ging, um der *Sittsamkeit* in seiner männlichen Variante Genüge zu tun.

Manche Philosophen rieten mehr zur Mäßigung als andere. Selbstbeherrschung war wichtig, wollte man nicht den Vorwurf der »Verweichlichung« riskieren. Es kam vor, dass die Superstrengen die Supertugendhaften dazu aufriefen, sich jeglicher sexuellen Betätigung, die nicht der Zeugung von Nachkommen diente, zu enthalten – so der Philosoph und Stoiker Musonius Rufus. Doch all dies blieb immer im Rahmen der geltenden Vorstellungen über Sex, Geschlechterrollen, Rang und Leiblichkeit. Die »strikten« Moralisten stellten nicht die geltende Ordnung der Dinge infrage, sie forderten lediglich bestimmte Männer zu einem beeindruckenden Maß an Selbstbeherrschung auf – eine Herausforderung, der sich nur sehr wenige stellten. Es hat seine Gründe, dass es im Lateinischen 25 Wörter für Prostituierte gibt, aber kein einziges für einen Mann, der noch »Jungfrau« ist.[52] Beide Tatsachen sind eng miteinander verbunden.

Tom Holland hat die römische Einstellung zum Sex so zusammengefasst:

> Sex war nichts anderes als Machtausübung. Was eroberte Städte für die Schwerter der Legionen waren, das waren die Körper derer, die sexuell benutzt wurden, für den römischen Mann. Penetriert zu werden – sei es als Mann oder als Frau – bedeutete, als minderwertig gezeichnet zu sein: als weibisch, barbarisch, sklavisch. … In Rom benutzten Männer mit größter Selbstverständlichkeit den Straßenrand

> als Abtritt, und ebenso selbstverständlich benutzten sie Sklavinnen und Prostituierte, um ihre sexuellen Bedürfnisse zu befriedigen. Im Lateinischen bedeutet ein und dasselbe Wort – *meio* – sowohl ejakulieren als auch urinieren.[53]

Was uns heute als Missbrauch erscheint – die Machtspiele, die krasse Ungleichheit, die Benutzung von Körpern und Personen als Gegenstände zur Triebbefriedigung –, war für die Sexualmoral der römischen Antike eine Selbstverständlichkeit. So war die Welt halt. Doch dann kam die sexuelle Revolution.

Die sexuelle Revolution

Bei dem Wort »sexuelle Revolution« denken wir unwillkürlich an die 1960er-Jahre. Es war die Zeit nach der Anti-Baby-Pille und vor AIDS, als Sex auf einmal viel weniger riskant wurde, zumindest was eine Schwangerschaft betraf. Die Geschlechter wurden gleichberechtigt. Frauen konnten genauso leicht fremdgehen wie Männer, und in Sexualität, Ehe, Familie und noch vielem mehr kam es zu radikalen Veränderungen.

Nun, 19 Jahrhunderte vor dem »Sommer der Liebe« brach eine andere Revolution der sexuellen Werte und Praktiken los, und sie veränderte die Welt noch mehr. Diese Revolution des 1. Jahrhunderts hat der Welt ganz bestimmte Ansichten über Sexualität, Liebe, Freiheit, den Körper, die Familie, Geschlechterrollen und Gleichheit gebracht, die heute noch gelten, selbst unter denen, die sich als frei von kirchlichen Zwängen betrachten. Die Beziehung zwischen diesen beiden Revolutionen ist höchst erhellend, denn in vielerlei Hinsicht waren die »wilden Sechziger« ein Gegenstück dieser Revolution des 1. Jahrhunderts.

In den 1960er-Jahren war die Gleichberechtigung der Geschlechter ein großes Thema, und die sozialen Tabus, die mit der weiblichen Sexualität verbunden waren, wurden gelockert. Den frühen Christen ging es ebenfalls um Gleichberechtigung, aber sie attackierten die Doppelmoral von der anderen Seite aus. Die Kirche legte den Männern Beschränkungen auf, und zwar die gleichen, die traditionell für die Frauen gegolten hatten. Das Motto der sexuellen Revolution des 20. Jahrhunderts lautete: *Frauen können die gleichen Freiheiten haben wie Männer.* Das der Jesus-Revolution hieß: *Männer unterliegen den gleichen Beschränkungen wie Frauen.* In einer Welt der totalen sexuellen Dominanz der Männer war dies ebenso gewagt wie revolutionär.

Wie Eunuchen leben?

Wenn das Christentum ein sexualmoralisches Erdbeben auslöste, dann finden wir die Grundlagen dafür in Matthäus 19. Das Kapitel beginnt damit, dass die striktesten Frommen Israels – die Pharisäer – Jesus eine Frage über Scheidung und Wiederheirat stellen. In der römischen Welt war die Scheidung denkbar einfach; unter den Juden diskutierte man darüber, wie schwierig sie sein sollte. Jesus übertraf sie alle mit der strengsten Regelung, die es je für Männer gegeben hatte.

Die Pharisäer wollten Jesus eine Falle stellen und fragten ihn: »Darf ein Mann aus jedem beliebigen Grund seine Frau aus der Ehe entlassen?«

> »Habt ihr nie gelesen«, erwiderte Jesus, »dass Gott die Menschen von Anfang an als Mann und Frau geschaffen hat? Und dass er dann sagte: ›Deshalb wird ein Mann seinen Vater und seine Mutter verlassen und sich an seine Frau binden, und die zwei werden völlig eins sein.‹? Sie sind also nicht mehr zwei, sondern eins. Und was Gott so zusammengefügt hat, sollen Menschen nicht scheiden!«
> (Mt 19,3-6; NeÜ)

Mit den Worten »von Anfang an« nimmt Jesus seine Zuhörer mit in die allerersten Kapitel der Bibel: 1. Mose 1 und 2. Dort beschreibt der Ausdruck »völlig eins« (wörtlich: »*ein* Fleisch«) zweierlei: die Vereinigung der Körper von Mann und Frau (im Geschlechtsverkehr) und das gemeinsame Leben (in der Ehe). In der Bibel ist Sex ehelich und die Ehe sexuell. Die leibliche Vereinigung (Sex) gehört in die Lebensvereinigung (die Ehe).

Die Ausübung menschlicher Sexualität hat also etwas zutiefst Bedeutsames. Unser Sexualpartner sollte unser Lebenspartner sein. Aber Jesus geht noch weiter: Zur horizontalen Dimension (Mann und Frau) fügt er die vertikale (Gott und Mensch) hinzu. Er nennt die Ehe das, »was Gott zusammengefügt hat«. Offensichtlich hat das, was wir mit unseren Körpern machen, auch eine *geistliche* Dimension. Unsere Partnerschaften sind nicht etwas rein Menschliches; sie haben mit Gott zu tun.

Eine solche Lehre ist der Todesstoß für alle »sexuellen Abenteuer«. Aber auch für die einfache Scheidung, und so lassen die Pharisäer nicht locker, sondern berufen sich auf

Mose und die Gesetze und Regelungen, die er Israel im Alten Testament gab:

> »Warum hat Mose dann aber gesagt«, entgegneten sie, »dass man der Frau einen Scheidebrief ausstellen soll, bevor man sie wegschickt?« Jesus erwiderte: »Nur, weil ihr so harte Herzen habt, hat Mose euch erlaubt, eure Frauen wegzuschicken. Von Anfang an ist das aber nicht so gewesen. Doch ich sage euch: Wer sich von seiner Frau trennt und eine andere heiratet – es sei denn, sie ist ihm sexuell untreu geworden –, begeht Ehebruch. Auch wer eine Geschiedene heiratet, begeht Ehebruch.« (Mt 19,7-9; NeÜ)

Für Jesus entspricht nicht alles, was im Alten Testament steht, der ursprünglichen Absicht des Schöpfers. So finden wir in der hebräischen Bibel zahlreiche Fälle von Polygamie, sogar unter so prominenten Israeliten wie Abraham oder David. König Salomo besaß 1000 Konkubinen (also Nebenfrauen, deren Status niedriger als der einer Ehefrau war). Solche Praktiken waren in den damaligen Kulturen für Männer, die zur herrschenden Elite gehörten, die Norm; in der Bibel sind sie Ausnahmen, die regelmäßig als warnende Beispiele beschrieben werden und die zu Zwist und Ausbeutung führen. Und hier im Neuen Testament sagt Jesus seinen Zuhörern also, dass manche alttestamentlichen Praktiken, ja, sogar manche *Regelungen* eigentlich nicht gut waren, sondern Zugeständnisse an die, wie Jesus es nennt, »harten Herzen« der Menschen. Doch durch sein Kommen in die Welt hat Jesus das Original von 1. Mose 1 und 2 wiederhergestellt:

Die Ehe ist ein lebenslanger Bund zwischen *einem* Mann und *einer* Frau, und eine Scheidung ist nur in seltenen Ausnahmefällen erlaubt.

Damit hat Sexualität für Jesus zwei mögliche Bedeutungen: Innerhalb der Ehe ist sie die vom Körper vollzogene, immer neue Wiederholung des Ehegelübdes, »bis der Tod uns scheidet«; außerhalb der Ehe (also als Ehebruch) ist sie wie ein Vorschlaghammer, der eine von Gott selbst gestiftete Gemeinschaft zerstört. Dies ist eine ungeheuer hohe (manche würden sagen: »enge«) Definition von Sexualität. Schauen wir uns an, wie die Jünger Jesu darauf reagierten:

> Da sagten die Jünger: »Dann wäre es ja besser, gar nicht zu heiraten!« (Mt 19,10; NeÜ)

Jesu Jünger waren Männer aus Fleisch und Blut, darunter Fischer wie Petrus (der verheiratet war). Als diese Männer hören, dass die Türen der Ehe von außen so verschlossen sind, dass keiner lebendig wieder herauskommt, sind sie entsetzt. Die Verheirateten wünschen sich, nicht geheiratet zu haben. (Wir erfahren nicht, wie Petrus' Frau reagierte, als sie von seiner Aussage erfuhr!) Und die Unverheirateten beginnen, sich zu überlegen, ob das mit dem Heiraten wirklich so eine gute Idee ist. Denn was Jesus hier sagt, nimmt das Sexualverhalten des Mannes an eine sehr kurze Leine.

Sie sehen nicht, was an Jesu Ehe-Lehre so radikal sein soll? Dann haben Sie sich womöglich noch nie gefragt, wie das männliche Sexualverhalten »in freier Wildbahn« aussieht. Der kanadische Anthropologe Joseph Henrich klärt uns auf:

> Schätzen Sie mal, wie viele Arten unter unseren nächsten Verwandten – den Affen und Menschenaffen – sowohl in Großgruppen zusammenleben wie der *Homo sapiens* und zugleich ausschließlich monogame Paarbeziehungen pflegen?
>
> Richtig, gar keine.[54]

Die Ehe, wie wir sie in westlichen Ländern kennen, ist nichts »Natürliches«, sie ist etwas höchst Seltsames. Das Gleiche gilt für die Monogamie. Doch für den Mann, der vor der Ehe zurückschreckt, hält Jesus eine Alternative bereit (aber nur eine): *Lebe wie ein Eunuch.*

> Jesus erwiderte: »Das ist etwas, was nicht alle fassen können, sondern nur die, denen es von Gott gegeben ist. Manche sind nämlich von Geburt an unfähig zur Ehe, andere sind es durch einen späteren Eingriff geworden, und wieder andere verzichten von sich aus auf die Ehe, weil sie ganz für das Reich da sein wollen, in dem der Himmel regiert. Wer es fassen kann, der fasse es!« (Mt 19,11-12; NeÜ)

Ein Eunuch war ein Mann ohne Hoden, der als Sklave oft zwangskastriert worden war, um keine Bedrohung für die Ehefrauen des Herrn darzustellen. Jesus sagt, dass Männer, die nicht heiraten wollen, stattdessen die Ehelosigkeit als Berufung wählen können; man verzichtet komplett auf Sex und kann dadurch ohne jede Ablenkung im Reich Gottes dienen. Eine dritte Option ist nicht vorgesehen. Kyle Harper drückt es so aus, dass die christliche sexuelle Revolution auf die Konzentrierung »der gesamten diffusen erotischen Energie der Welt auf eine einzige, zerbrechliche, aber heilige Verbindung« abzielte.[55]

Henrich nennt diese Lehre das »Ehe- und Familienprogramm« der Kirche (EFP).[56] Es hat sehr tiefe Spuren hinterlassen. Für Henrich ist es der wichtigste Einzelfaktor, der zu der eigenartigen psychologischen Verfasstheit und dem bemerkenswerten Wohlstand des Westens beigetragen hat. In Kulturen, in denen die reichen und mächtigen Männer das Sagen haben, nehmen sie sich alle Frauen, was furchtbar für die Frauen und auch für die anderen Männer ist. Das christliche »Ehe- und Familienprogramm« dagegen verteilt Sexualität und Ehe gleichmäßig über die Geschlechter und die verschiedenen sozialen Schichten. Theoretisch kann jeder den passenden Ehepartner finden (ein schwieriger Job, wenn Salomo alle Frauen hat). Henrich bemerkt, dass »die monogame Ehe die Fortpflanzungskonkurrenz unter den Männern unterdrückt und den Pool der unverheirateten Männer am unteren Ende der sozialen Hierarchie austrocknet«[57] – ein gefährlicher Pool, der voller unfreiwillig Eheloser ist, die viel Testosteron und wenig Verantwortung haben. Das EFP führt zu einer drastischen Reduzierung dieses Pools und bindet die Männer an ihre Frauen und Kinder, also an ihre sexuellen Lebensentscheidungen und deren Konsequenzen. Diese Bindung funktioniert quasi als »System zur Testosteronunterdrückung«[58], das die Aggressivität der Männer mindert. Henrich fasst die Auswirkungen des EFP-Programms mit Worten zusammen, die an die Eunuchen-Aussage von Jesus erinnern; er schreibt, dass »die Kirche durch die Institution der monogamen Ehe nach unten durchgegriffen und die Männer an den Testikeln gepackt hat«[59].

Eine höhere Sicht

Henrichs Analyse des »Ehe- und Familienprogramms« der christlichen Kirche ist korrekt. Aber es bleiben Fragen. Wie konnte die Kirche »nach unten durchgreifen«, wenn sie (zumindest in ihren ersten drei Jahrhunderten) in der kulturellen Hierarchie definitiv nicht »oben« war? Warum ließen sich gestandene Männer solche Fesseln anlegen? Und wie sollen wir das »Wie Eunuchen leben« in der Lehre Jesu verstehen? Henrich konzentriert sich auf Ehe und Familie. Aber Christus gibt der Ehelosigkeit, die auf Sex verzichtet, einen noch höheren Stellenwert. Evolutionsbiologisch gesehen ist Ehelosigkeit eine absolute Sackgasse. Aber die ersten Christen schauten über die Biologie hinaus auf die geistlichen Realitäten:

> Wisst ihr denn nicht, dass euer Körper ein Tempel des Heiligen Geistes ist, der in euch wohnt und den ihr von Gott bekommen habt? (1Kor 6,19; NeÜ)

Paulus gibt hier eine atemberaubende Beschreibung der Würde des menschlichen Körpers. In der Antike waren die Körper vieler Menschen nicht mehr wert als ein Pissoir. Heute betrachten wir sie eher als Spielplätze. Aber dass unser Körper eine *Wohnung Gottes* sein kann, das verleiht ihm eine ungeheure geistliche Würde. Und was Paulus über die Vereinigung solcher geheiligter Leiber zu sagen hat, ist die höchste Wahrheit über die Ehe, die man sich vorstellen kann:

> Ihr Männer, liebt eure Frauen, wie auch der Christus die Gemeinde geliebt und sich selbst für sie hingegeben hat … »Deswegen wird ein Mensch Vater und Mutter verlassen und seiner Frau anhängen, und die zwei werden *ein* Fleisch sein.« Dieses Geheimnis ist groß, ich aber deute es auf Christus und auf die Gemeinde. (Eph 5,25.31-32)

Für Paulus weist die Vereinigung eines Mannes und einer Frau auf etwas hin, das noch höher ist: die Liebesgeschichte zwischen Christus und den Christen. So wie Jesus uns geliebt und sich mit uns verbunden hat, sollen Ehemänner und ihre Frauen miteinander verbunden sein als Ebenbild dieser göttlichen Beziehung der Liebe. Eheliche Liebe ist eine Proklamation dieser tiefstmöglichen Vereinigung und Gemeinschaft.

Und weil dies so ist, ermuntert Paulus ausdrücklich zum regelmäßigen Geschlechtsverkehr innerhalb der Ehe:

> Verweigert euch einander nicht – höchstens für eine begrenzte Zeit und im gegenseitigen Einverständnis, wenn ihr für das Gebet frei sein wollt. Aber danach sollt ihr wieder zusammenkommen. (1Kor 7,5; NeÜ)

Dies ist eine wahrhaft revolutionäre Aussage, die den Begriff des gegenseitigen Einverständnisses in die Schlafzimmer holt. Wohlgemerkt: des *gegenseitigen* Einverständnisses. Einen Vers vorher sagt Paulus etwas, dem wohl jeder in der Antike zugestimmt hätte:

> Die Frau verfügt nicht über ihren eigenen Leib, sondern der Mann. (1Kor 7,4)

Keiner von Paulus' Zeitgenossen hätte das bestritten. Aber dann fährt Paulus fort, mit Worten, die das ganze Verständnis von Sex, Ehe, Männern und Frauen und der Verfügung über den Leib total revolutionieren:

> Ebenso aber verfügt auch der Mann nicht über seinen eigenen Leib, sondern die Frau. (V. 4)

Die Revolution liegt in dem Wörtchen »ebenso«. Paulus besteht auf völliger Gegenseitigkeit. Die Ehepartner sollen einander als Gleiche angehören. Wir können heute kaum ermessen, wie schockierend diese Aussage damals war, ist doch für uns die gegenseitige Übereinkunft und Verpflichtung der Ehepartner eine Selbstverständlichkeit. Aber sie ist deswegen selbstverständlich geworden, weil sie damals revolutionär war.

In der Welt der Antike wetteiferten die Götter im Vergewaltigen von Frauen, die sexuelle Initiative lag in den Händen von Männern, die mächtig genug waren, und sexuelles Fehlverhalten bedeutete, dass man dem guten Ruf eines anderen Mannes Gewalt antat und nicht etwa dem Körper oder Willen einer Frau. In diese Welt hinein platzte die christliche Revolution, die sexuelle Handlungen auf die Leinwand der göttlichen Liebe malt und in der sich zwei gleichwertige Partner in einem heiligen, unzerreißbaren Band vereinigen. Mag sein, dass das »Ehe- und Familienprogramm« der Kirche, um Henrich zu zitieren, die Männer an ihren Testikeln packte, aber das konnte es nur, weil es zuerst ihre Herzen gewonnen hatte.

Sklaven, Frauen und Kinder

Es überrascht nicht, dass die ersten Herzen, die von der Jesus-Bewegung gewonnen wurden, die der Hauptopfer der Brutalität des damaligen Systems waren. Im 2. Jahrhundert n. Chr. behauptete Celsus, der bereits erwähnte Kritiker des Christentums, dass der christliche Glaube nur etwas für »die Toren, die Ehrlosen und Dummen« sei, für »Sklaven, Frauen und kleine Kinder«[60]. Aber was Celsus verächtlich machte, darauf war die alte Kirche stolz. Der Historiker Rodney Stark wundert sich, »warum nicht *jede* Frau, die von dem [christlichen Glauben] hörte, Christin wurde«[61]. Die Kirche wurde ein Ort, der Frauen Würde, Schutz und Versorgung bot. 251 n. Chr. teilte der damalige Bischof von Rom seinem Kollegen in Antiochien mit, dass seine Gemeinde (die etwa 30 000 Glieder hatte) für »über fünfzehnhundert Witwen und Bedürftige« sorgte. Moderne Autoren nennen diese Gemeinden »Mini-Wohlfahrtsstaaten«, doch die Gemeinden selbst verstanden sich als Familien. In der kosmischen Geschichte der Liebe sind die, die sich für die Liebe Christi, des Sohnes Gottes, öffnen, mit ihm verbunden wie eine Frau mit ihrem Ehemann. Sie sind Glieder des Haushaltes des himmlischen Vaters geworden, die ihre Mitchristen »Bruder« und »Schwester« nennen dürfen. Mit anderen Worten: Sie sind eine Familie.

> Denn ihr alle seid Söhne Gottes durch den Glauben in Christus Jesus. Denn ihr alle, die ihr auf Christus getauft worden seid, ihr habt Christus angezogen. Da ist nicht Jude noch Grieche, da ist nicht Sklave noch Freier, da ist nicht Mann und Frau; denn ihr alle seid einer in Christus Jesus. (Gal 3,26-28)

In der christlichen Kirche gibt es nur einen »Herrn«, Christus selbst, und alle sind eins in ihm. Alle gehören zu Gottes Familie, unabhängig von Rasse, Stellung oder Geschlecht. Und das Herz, das in dieser Familie schlägt und ihre Ethik bestimmt, ist die *Liebe*. Sie ist ein roter Faden, der das ganze Neue Testament und die übrigen frühchristlichen Schriften durchzieht. Doch in den klassischen heidnischen Tugendlisten kommt sie kaum vor. Philosophen wie Plato oder Cicero nannten als Grundtugenden Weisheit, Gerechtigkeit, Mut und Mäßigung – lauter Dinge, die gut zu einem Soldaten passen. Das englische Wort für Tugend, *virtue*, geht auf das lateinische *virtus* zurück, das wiederum von *vir* (»Mann«) abgeleitet ist und »Mannhaftigkeit« bedeutete. Tugendhaftigkeit bedeutete »Männlichkeit«.

Doch dann kam Jesus und offenbarte eine ganz andere Art Gott – und eine andere Art von Mann. Er lehrte, dass das höchste Gut die Liebe ist – zu Gott, zu unseren Nächsten, ja, sogar zu unseren Feinden. Aber was ist Liebe? Paulus erklärt es uns in einem der berühmtesten Abschnitte der Bibel, ja, der ganzen menschlichen Literatur:

> Die Liebe ist langmütig, die Liebe ist gütig, sie neidet nicht, die Liebe tut nicht groß, sie bläht sich nicht auf, sie benimmt sich nicht unanständig, sie sucht nicht das Ihre, sie lässt sich nicht erbittern, sie rechnet Böses nicht zu ... (1Kor 13,4-5)

Dies klingt nicht wie die Kommandos eines Feldwebels, es ist die Atmosphäre eines gesunden Heims. Womit wir abschließend zu einem speziellen Aspekt des Familienlebens der christlichen Gemeinde kommen: dem Umgang mit Kindern.

In der griechisch-römischen Antike wurde Sex mit Minderjährigen und Kindern nicht nur toleriert, sondern von Autoren wie Juvenal, Petronius, Horaz, Straton, Lucian und Philostratus geradezu gefeiert.[62] Das Wort, das sie benutzten, war *Päderastie* (»Liebe zu Kindern«). Die Christen fanden diese Praxis durch die Bank widerwärtig und bezeichneten sie mit einem anderen Wort: *paidophthoros* (»Zerstörung von Kindern«).[63] Was die antiken Vordenker Liebe nannten, nannten die Christen Missbrauch, »womit sie jeglichen sexuellen Kontakten mit Kindern den Stempel der Verwerflichkeit aufdrückten«[64]. Unter dem christlichen Kaiser Justinian I. (527–565) wurde die Päderastie gesetzlich verboten, mit langen Verjährungsfristen.[65] Hier wirkten Kirche und Staat wirkungsvoll zusammen – Verkündigung und Gesetzgebung – im Kampf gegen die Sexualisierung von Kindern.

Für uns heute, als »Kinder der christlichen Revolution«, ist der Schutz unserer Kinder vor sexuellem Missbrauch eine Selbstverständlichkeit. Die Verurteilung des

Kindesmissbrauchs ist möglicherweise *der* moralische Generalkonsens unserer Zeit. Aber vergessen wir nie den historischen Kontext. Wir sehen die Dinge als *Erben* der Jesus-Bewegung, wenn wir von »dem größten Durchbruch aller Zeiten im Kampf gegen den Kindesmissbrauch«[66] reden. Vor und ohne Jesus ist den Menschen nicht immer klar, »wie viel ein Mädchen wert ist«.

Krumme Linien sind nicht gerade

Gegen Ende ihrer Aussage in dem Prozess gegen Larry Nassar wandte sich Rachael Denhollander direkt an den Angeklagten:

> Zu den ersten Gerichtsterminen haben Sie Ihre Bibel mit in den Gerichtssaal gebracht. Und Sie haben auch davon gesprochen, um Vergebung zu bitten …

Denhollander ist Christin, und man hätte erwarten können, dass sie Nassars Glauben kleinreden oder glatt verneinen würde. Wer will schon in einem Boot mit einem Pädophilen sitzen? Aber es ist wichtig, sich über die folgende Tatsache klarzuwerden: Unter den schlimmsten Missbrauchstätern auf der Erde findet man auch Menschen, die sich allen Ernstes als Christen bezeichnen. Denhollander verdrängt diese Wahrheit nicht. Jeder Christ weiß darum, dass es möglich ist, den Namen »Christ« für sich in Anspruch zu nehmen, aber die verwandelnde Kraft, die dahintersteht, zu leugnen. Jesus selbst hat uns vor bösen Menschen gewarnt, die sich als harmlose Christen ausgeben – »reißende Wölfe«, die »in Schafskleidern« daherkommen (Mt 7,15).

Aber was Denhollander macht, ist nicht so sehr, dass sie Nassars christlichen Glauben anzweifelt (obwohl auch dies legitim gewesen wäre), sondern sie hält ihm vor, was für ethische Standards er anerkannt hat, wenn er diesen Glauben hat:

> Die Bibel, die Sie dabeihaben, sagt, dass es besser ist, dass man Ihnen einen Stein um den Hals bindet und Sie ins Meer versenkt, als dass man zulässt, dass Sie auch nur *einem* Kind zum Anstoß werden. Und Sie haben nicht *einem* Kind Schaden zugefügt, sondern Hunderten.

Denhollander bezieht sich hier auf Worte Jesu aus Matthäus 18,6, denn Jesus hat die Art, wie wir Kinder betrachten, total umgekrempelt. Kleine Jungen und Mädchen haben einen unermesslichen Wert, das hat Jesus uns gezeigt. Und groteskerweise zeigen uns dies auch Missbrauchstäter wie Nassar – sozusagen im Negativ. Die Schrecklichkeit seiner Verbrechen ist ein Zeugnis für den Wert seiner Opfer. Und für die Werte, die wir so hoch schätzen. Denhollander hat es so ausgedrückt:

> Diesen ganzen Prozess hindurch habe ich mich an ein Zitat von C. S. Lewis geklammert. Lewis sagt: »Mein Argument gegen Gott war, dass das Universum so grausam und ungerecht ist. Aber woher hatte ich diesen Begriff von ›gerecht‹ und ›ungerecht‹? Man kann eine Linie nur dann ›krumm‹ nennen, wenn man einen Begriff davon hat, was ›gerade‹ ist. Womit

> habe ich das Universum verglichen, wenn ich es ›ungerecht‹ nannte?«
>
> Larry, ich nenne das, was Sie getan haben, deswegen »böse«, weil es böse *war*. Und ich weiß, dass es böse war, weil es die gerade Linie gibt. Die gerade Linie ist nicht deswegen gerade, weil Sie oder jemand anderes dies so sehen. Und das bedeutet, dass ich die Wahrheit über mein Missbrauchserlebnis sagen kann, ohne etwas zu beschönigen oder kleinzureden. Ich kann es »böse« nennen, weil ich weiß, was »gut« ist.

Man könnte erwarten, dass das, was Rachael Denhollander durchgemacht hat, ihren Glauben an Gott geschwächt hätte. Doch stattdessen wurde ihr der Unterschied zwischen »gut« und »böse« immer deutlicher. Bei C. S. Lewis, den sie zitierte, war es ganz ähnlich. Indem sie das Krumme in dieser Welt erkennen, richten Lewis und Denhollander unseren Blick auf die gerade Linie. Wenn es so etwas wie gerade Linien nicht gäbe, könnte es auch keine krummen geben. Eine Linie wäre wie die andere, und die Welt wäre halt so, wie sie ist. Aber wir erkennen das Krumme, wenn wir es sehen. Ebenso wie das Böse.

Deshalb kann Denhollander das, was Nassar getan hat, »böse« nennen. »Böse« heißt nicht »unvergebbar«. In ihrer Aussage, aus der wir oben zitiert haben, bot Denholander dem Mann, der sie missbraucht hatte, auch ihre Vergebung an – eine bemerkenswerte christliche Geste. Aber sie tat dies, *weil* der Missbrauch etwas *Böses* gewesen war, und nicht bloß unangenehm, schmerzhaft oder kulturell unangemessen. Er war absolut und höllisch böse. Aber – so

Denhollander – wenn dies alles wirklich böse war, dann bedeutete es auch, dass es Dinge gibt, die *gut* sind, absolut gut.

All dies zwingt uns dazu, zu überlegen, nach welchen Maßstäben wir Missbrauch beurteilen. Das Urteil »Missbrauch« setzt voraus, dass wir bestimmte Dinge für wahr halten: dass unsere Körper Tempel sind, dass Sex etwas Heiliges ist, dass Kinder wertvoll sind und dass die Mächtigen die Schwachen nicht ausbeuten dürfen, sondern ihnen dienen sollten. Diese Werte bilden zusammen die gerade Linie, anhand derer wir Nassars Taten als »krumm« erkennen. Doch solche Werte sind mitnichten universal. Sie bestimmen weder das Verhalten im Tierreich noch sind sie die Grundlage für alle menschlichen Kulturen. Es sind spezifisch *christliche* Werte. Larry Nassar kann sich nicht hinter dem christlichen Glauben verstecken; dieser Glaube klagt ihn vielmehr an. Es ist die Gutheit Jesu, die das Böse seines Missbrauchs so klar zum Vorschein treten lässt.

Manchmal erkennen wir erst dann, was uns wert und wichtig ist, wenn es gefährdet ist. Und manchmal zeigt uns tragischerweise die Missachtung von Personen, ihrer Körper und ihrer Freiwilligkeit, wie heilig diese Werte eigentlich sind. Hören Sie auf Ihr eigenes Herz, wenn Denhollander fragt, wie viel ein kleines Mädchen wert ist. Man kann diese Frage nicht aus wissenschaftlicher oder ökonomischer Sicht beantworten. Auch nicht bloß soziologisch oder psychologisch. Die tiefste und wahrste Antwort auf diese Frage ist eine *geistliche* Antwort. Und wenn tief in Ihnen die Antwort ertönt: »Unendlich viel«, dann ist das das Christentum, was da spricht.

5

Aufklärung

»Das ist wie im Mittelalter, man glaubt nicht, dass man im 21. Jahrhundert lebt.«

(Eine frustrierte Neuseeländerin über den mangelhaften Handy-Empfang, 2018)[67]

Es steht schlecht um das Wort »Mittelalter«, wenn es sogar zur Bezeichnung eines mangelhaften Mobilfunk-Empfangs herhalten muss. Das »Mittelalter« ist eigentlich die Geschichtsepoche zwischen dem Fall Roms (410 n. Chr.) und dem Beginn der Renaissance (14.–15. Jahrhundert). Aber heutzutage wird das Wort synonym zu »rückständig«, »defekt« oder »grausam« verwendet. Eine rasche Suche im Internet zeigt, was heute noch alles »mittelalterlich« sein kann: Computer-Systeme,[68] die Taliban,[69] eine lahme Art, Rugby zu spielen,[70] eine anzügliche TV-Show[71] und die psychologische Qual des Elfmeter-Schießens.[72]

Das Wort hat sich so weit von seinem historischen Kontext entfernt, dass niemand merkt, wie lächerlich es ist, Computer, Handys oder Fernsehsendungen als »mittelalterlich« zu bezeichnen. Das Wort steht nicht mehr für eine geschichtliche Epoche. Es bedeutet einfach nur furchtbar. Oder grausam. Oder veraltet. Wir assoziieren es auch mit Gewalt und Folter, wie bei der Figur des Marsellus im US-Gangsterfilm *Pulp Fiction*, der seinen Feinden das Mittelalter androht.

Wichtiger Warnhinweis: In diesem Kapitel wird es *wirklich* mittelalterlich zugehen, aber nicht so wie in *Pulp Fiction*. Wir werden noch sehen, dass »mittelalterlich« ziemlich fortschrittlich sein kann. Aber dazu müssen wir uns von gewissen sehr wirkmächtigen Vorurteilen über das Mittelalter freimachen. (Ich musste das auch.) Wenn ich an das Mittelalter denke, kommen mir als Erstes Ritterrüstungen und die Pest in den Sinn. Das ist eine, gelinde gesagt, einseitige Sicht von den Jahrhunderten, die uns die Universität, die Magna Carta und die Kathedrale von Chartres geschenkt haben. Was ist passiert mit unserem Umgang mit der Geschichte? Warum fällt es uns so leicht, das Mittelalter reflexmäßig »finster« zu nennen?

Und das tun wir ja schon seit Jahrhunderten. Lange, nachdem die Historiker damit aufgehört haben, redet der Durchschnittsbürger immer noch vom »finsteren Mittelalter« und betrachtet sich selbst als »aufgeklärt«, und er tut das instinktiv und ohne groß nachzudenken. Nun, dieses Kapitel wird zeigen, dass diese Instinkte auf einem zutiefst christlichen Boden gewachsen sind. Wenn wir auf den folgenden Seiten den Mythos vom »finsteren Mittelalter« demontieren, werden wir viel über Geschichte lernen, aber noch mehr über uns selbst – nämlich über die Art, wie wir vom Christentum geprägt worden sind, selbst dann, wenn wir es kritisieren.

Kurze Geschichte des Finstermachens

Versuchen Sie einmal, sich eine Welt ohne Christentum vorzustellen. In »Straße zum Multiversum«, einer Folge der amerikanischen Zeichentrickserie *Family Guy*, geschieht genau das. Die Helden Stewie und Brian entdecken eine Fernbedienung, mit der man sich in alternative Realitäten zappen kann. Einmal kommen sie so in ein unglaublich fortschrittliches Parallel-Universum. Es ist die gleiche Stadt in demselben Jahr, aber die Menschen können schweben, die Züge fahren mit Lichtgeschwindigkeit und jede beliebige Krankheit kann augenblicklich geheilt werden. Was ist das Geheimnis dieser Welt?

> In diesem Universum hat es das Christentum nie gegeben, was bedeutet, dass es das Mittelalter mit seiner Unterdrückung der Wissenschaft nie gegeben hat, sodass die Menschheit hier um 1000 Jahre weiter fortgeschritten ist.[73]

Solche Gedankenexperimente finden wir nicht nur in *Family Guy*. Viele Menschen haben sich gefragt, was für Fortschritte unsere Zivilisation hätte machen können, wenn die Kirche uns nicht die 1000 Jahre »finsteres Mittelalter« beschert hätte. Wir wären heute bestimmt viel weiter, denken wir. Wie konnte es zu diesem Denken kommen?

Carl Sagan (1934–1996), der vielen Menschen die Naturwissenschaften nahegebracht hat, nannte die Jahre zwischen dem 5. und dem 15. Jahrhundert eine »Jahrtausendlücke«, eine »verlorene Gelegenheit für die menschliche Spezies«. In seiner bahnbrechenden

Fernsehserie *Cosmos* zeigte er eine Zeitachse mit einer Fülle von Namen und Entdeckungen, die um 400 n. Chr. aufhört und erst nach 1400 wieder weitergeht. Dazwischen steht – nichts. Ein wahrlich »finsteres Mittelalter«. Wie kam Sagan dazu?

Die Vorstellung von einem verlorenen, »finsteren Zeitalter« wurde vor allem während der sogenannten »Aufklärung« geprägt, durch Denker wie Immanuel Kant, Edward Gibbon, John Locke, David Hume und Jean-Jacques Rousseau. In ihrem Geschichtsbild (aber Vorsicht, hier verallgemeinere ich) erscheint das Christentum als Bastion der Rückständigkeit, das 1000 Jahre lang den Glanz der Antike verdunkelte, bis uns eine Reihe tapferer Helden aus den Klauen der Päpste, Mönche und Inquisitoren rettete. Erst kam im 14. und 15. Jahrhundert die Renaissance mit ihrer Wiederentdeckung der Kultur der Antike. Dann kamen die Wissenschaftler des 16. und 17. Jahrhunderts, die der Religion den Todesstoß versetzten und den Weg zum Zeitalter der Vernunft bahnten.

The Age of Reason (»Das Zeitalter der Vernunft«) war der Titel eines berühmten Buches von Thomas Paine, in welchem er die Rationalität seiner Zeit mit einem früheren »Zeitalter des Glaubens« verglich. Für Paine war »Glaube« gleich Aberglaube und Ignoranz:

> Das Zeitalter der Unwissenheit *(age of ignorance)* begann mit dem christlichen System … ein langes Interregnum der Wissenschaft … ein klaffender Abgrund von vielen hundert Jahren … eine riesige Sandwüste,

> in der nicht *ein* Strauch den Blick auf die fruchtbaren Berge in der Ferne unterbricht.[74]

Paine dachte so wie wir alle (nun ja, heutzutage). Wir halten uns für die, auf die man die ganze Zeit gewartet hat. Für uns ist die Geschichte lediglich die Bühne für unseren eigenen großartigen Auftritt. Paine hat das nur etwas lauter gesagt. Er und seine Weggenossen standen, wie sie meinten, auf den besagten fruchtbaren Bergen und schauten zurück auf eine tote Wüste. Sie waren die Aufgeklärten, Vernünftigen, und ihre Vorfahren ignorante religiöse Trottel. Das ist die Sicht, die wir im modernen Westen geerbt haben. Wir stehen neben Thomas Paine, schauen auf die »riesige Sandwüste« zurück und fühlen uns hoch über sie erhaben. So geht es mir jedenfalls. Ich habe mein ganzes Leben lang das Mittelalter »finster« genannt (manchmal wurde dies sogar gedruckt, Sie dürfen gerne suchen).

Aber in diesem Kapitel soll es um zweierlei gehen. Erstens wollen wir uns auf die Suche nach der Aufklärung begeben, die es bereits im »finsteren Mittelalter« gab. Das Mittelalter sah große Fortschritte in Bildung, Philosophie, Theologie, Gesetzgebung, Politik, Literatur, Kunst, Musik, Architektur, Handel und Technologie. Darüber hinaus schuf es wichtige Grundlagen für den Aufstieg von Wissenschaft, Freiheit und Fortschritt, denen wir uns in Kapitel 6 bis 8 zuwenden werden. Was das Thema dieses Kapitels, »Aufklärung«, angeht, sahen diese Jahrhunderte ein gemischtes, aber höchst bemerkenswertes Engagement für Bildung und Überzeugung als Mittel zur Weitergabe des »Lichtes Christi«.

Wir werden uns also erstens das Licht anschauen, das es im Mittelalter bereits gab. Und zweitens wollen wir untersuchen, *warum* wir so lange vom »finsteren« Mittelalter gesprochen haben. Wo kommt es her, dieses historische Überlegenheitsgefühl bei uns? Es kann sein, dass die Antwort Sie überraschen wird.

Doch bevor wir anfangen können, brauchen wir erst noch ein bisschen Geschichtsunterricht.

Von der Sekte zur Staatsreligion

Wie konnte in nur ein paar Jahrhunderten aus der obskuren, unbekannten Jesus-Bewegung des 1. Jahrhunderts die dominierende religiöse Kraft des Abendlandes werden? Das ist die Frage im Untertitel des Buches *The Rise of Christianity* (»Der Aufstieg des Christentums«) des Soziologen Rodney Stark. Stark nennt in seiner Antwort zahlreiche Faktoren, u. a. die Zahl der Bekehrungen, Geburtenraten, die Rolle der Frauen, christliche Diakonie, die Märtyrer und sogar Pandemien. Nach seinen Schätzungen wuchs die Kirche ab Ostern um ca. 40 % pro Jahrzehnt (was bescheidene, aber stetige 3,4 % pro Jahr ergibt). Im Jahr 300 dürfte es ca. sechs Millionen Christen gegeben haben – etwa ein Zehntel des Römischen Reiches. Als Kaiser Konstantin 312 zum Christentum konvertierte, setzte er auf genau das richtige Pferd. Stark sagt wörtlich: »Man sollte Konstantins Bekehrung eher als Reaktion auf das exponentielle Wachstum [des Christentums] sehen denn als seine Ursache.«[75]

313 gewährte Konstantin den Christen im Toleranzedikt von Mailand Freiheiten, die für die damalige Zeit sensationell und für die kommenden Jahrhunderte ein

Modell der religiösen Toleranz waren. Es war eine ungeheure Erleichterung für eine Kirche, die gerade um die Wende zum 4. Jahrhundert schwerste Verfolgungen erlitten hatte. Jetzt hatte die große Wende begonnen, und als im Jahr 380 Kaiser Theodosius I. das Christentum zur römischen Staatsreligion erhob, war bereits über die Hälfte der Bevölkerung christlich. In nur ein paar Jahrhunderten war aus einer radikalen Gegenkultur die dominierende kulturelle Kraft geworden – eine wahrlich erstaunliche Veränderung in der Beziehung der Kirche zur Welt.

Doch dann, im Jahr 410, erlebte diese Welt ein Erdbeben.

Sturz und Aufstieg

Wenn die Menschen vom Untergang des Römischen Reiches reden, meinen sie meist das 5. Jahrhundert, als das weströmische Reich unterging. Aber es gab auch eine östliche Hälfte, das Byzantinische Reich mit seiner Hauptstadt Konstantinopel (heute Istanbul), das seine Schwester im Westen um 1000 Jahre überlebte, wenn auch seit dem 7. Jahrhundert im ständigen Abwehrkampf gegen muslimische Invasoren.

Doch das weströmische Reich brach krachend zusammen. Im Jahr 410 plünderten die Westgoten Rom. Die Menschen verstanden die Welt nicht mehr. Rom, das war »die ewige Stadt« gewesen, und die *Pax Romana* (der »römische Friede«) hatte jahrhundertelang für politische Stabilität gesorgt. Aus der Traum; das monolithische Reich zersplitterte in ein Gewirr aus Mini-Staaten. Es war eine Lage, in der es eine höhere Vision brauchte, etwas, das über rein menschliche Sicherheiten hinausging. Diese Vision lieferte die Kirche, und in ihr war es vor allem *ein* Denker, der dem Westen half, mit dem Undenkbaren fertigzuwerden.

Der nordafrikanische Kirchenvater und Bischof Augustinus (354–430) hat uns eine ganze Bibliothek philosophischer, theologischer und anderer Schriften hinterlassen. Am einflussreichsten sollte sein Buch *Vom Gottesstaat* werden, in welchem er dem fragilen irdischen Reich das ewige himmlische Reich gegenüberstellte. Mochte Rom, die von Menschen erbaute Stadt, fallen – die Stadt Gottes, wie sie sich in der Gemeinschaft der Kirche manifestierte, war ewig. Diese Unterscheidung war zentral (und neu, bedenkt man, wie die römischen Kaiser jahrhundertelang als Götter verehrt worden waren) und ließ den Begriff der »säkularen Sphäre« entstehen. »Säkular« bedeutet »dieses Zeitalter«, dem Augustinus die ewige »Sphäre des Heiligen« gegenüberstellte. Im 11. und 12. Jahrhundert erreichte dieser Begriff der »säkularen Sphäre« eine regelrechte Blüte.[76] Was wir heute als »Trennung von Kirche und Staat« bezeichnen, begann in der scheinbaren »Sandwüste« des Mittelalters.

Während es heute die meisten von uns zur säkularen Sphäre hinzieht, fanden nach dem Fall Roms viele der Überlebenden Trost in der Sphäre des Heiligen. In denkbar unsicheren Zeiten wurden viele Menschen von der Geborgenheit, die die Kirche vermittelte, angezogen. Um das Jahr 500 konvertierte der König der Franken zum Christentum, und sowohl das Reich der Merowinger (ca. 500–750) als auch das der Karolinger (750–887) verstanden sich als christliche Reiche.

Während sich manche heidnische Länder dem Christentum zuwandten, sandte die Kirche ihrerseits Missionare zu den Heiden. Die Frage war nur, auf welche Art und Weise die Kirche ihren Einfluss ausweiten wollte; ihre Beantwortung dauerte Jahrhunderte und brachte viele Misserfolge. In der Vergangenheit hatten die Reiche ihren Einfluss fast immer mit Gewalt auszudehnen versucht. Die Perser hatten eine Vision, wie die Nachbarvölker der »Lüge« abzusagen und sich zum »Licht« zu kehren hatten, und die Römer hatten ihren »römischen Frieden« *(Pax Romana)*, an dem sie die Barbaren gerne teilhaben ließen. Aber sie taten dies durchweg mit dem Schwert bzw. mit dem Androhen des Schwertes. Wie würde die Kirche das Reich *Christi* ausbreiten?

Drohen oder überzeugen?

Das Christentum war von seinen ersten Anfängen an ein missionarischer Glaube. Jesus Christus, das Licht der Welt (Joh 8,12), kam, um die *Nacht vor Weihnachten* zu beenden, und seine Kirche hatte den Auftrag, dieses Licht weiterzutragen. Jesus hatte auch die Christen selbst »Licht der Welt« genannt (Mt 5,14). Sie waren seine »Zeugen ... bis an das Ende der Erde« (Apg 1,8). Egal, wie ärgerlich dies die Menschen finden mögen, Christen können ihren Glauben nicht für sich behalten; sie können auch nicht sagen: »Jedem das Seine.« Christen drängt es, das Licht, das sie haben, zu den anderen Menschen zu bringen. Und so schickte Papst Gregor der Große im Jahr 597 einen gewissen Augustinus (nein, nicht den Kirchenvater) nach Britannien, um die Angelsachsen zu bekehren.

Gregor wies Augustinus an, nur »sanfte Methoden« anzuwenden. Augustinus' Ziel war es, die Menschen zu überzeugen, und seine Methode war Lehren und Predigen. Und er hatte Erfolg; er konnte König Ethelbert von Kent bekehren und wurde der erste Erzbischof von Canterbury. Es war ein Präzedenzfall für die Art, wie die Kirche im Westen das Licht zu den Heiden zu bringen versuchte, die ihrer Meinung nach im Finstern lebten.

Nur ein Jahrhundert später sandte Britannien bereits selbst Missionare aus. Bonifatius (675–754), der aus Devon im sächsischen Königreich Wessex kam, wurde von Papst Gregor II. ausgesandt, um das Licht Christi zu den Menschen in Germanien zu bringen. In den Worten seines Ratgebers, des Bischofs von Winchester, war es sein Ziel, die Menschen »durch viele Dokumente und Argumente zu überzeugen«[77]. Diese Mission der Überzeugung und Bildung war weitgehend von Erfolg gekrönt; Bonifatius konnte in dem, was wir heute Deutschland nennen, zahlreiche Kirchen und Klöster gründen, bis er 754 bei einem Missionseinsatz in Friesland von den Menschen getötet wurde, die er erreichen wollte.

Bonifatius verzichtete bei seinem Einsatz für das Königreich Christi bewusst auf Gewalt und Vergeltung, bis hinein in den Tod. Das Schwert, das er benutzte, war definitiv nicht das des Krieges, sondern das, was der Apostel Paulus »das Schwert des Geistes, das ist Gottes Wort« genannt hatte (Eph 6,17). Gewaltlosigkeit und in dem Wort Gottes gründende Überzeugungsarbeit sind in der christlichen Theologie und in den Beispielen von Missionaren wie Bonifatius eng miteinander verbunden. Tom Holland fasst die Lektion, die wir von Bonifatius lernen können, so zusammen: »Bekehren bedeutete erziehen.«[78]

Diese Lektion war etwas, was der fränkische König Karl der Große (747–814) gut gebrauchen konnte. Obwohl er sich als treuen Jünger der Kirche betrachtete, war sein Schwert eindeutig von der kriegerischen Art. Er schwang es rücksichtslos und machte sein Karolingerreich zur vorherrschenden Macht in Westeuropa, bis es 800 zum »Heiligen Römischen Reich« wurde und Karl selbst ein neuer »Augustus« und Kaiser.

Karl der Große betrieb eine brutale Machtpolitik. Als sich die Sachsen ihm entgegenstellten, ließ er an einem einzigen Tag 4500 von ihnen enthaupten. Drei Jahre später (785) besiegte er sie endgültig und stellte sie vor die Wahl »Taufe oder Tod«. Es war, in den Worten eines modernen Autors, »der Dschihad Karls des Großen«[79]. Ja, es gab echte Finsternis in diesen Jahrhunderten. Es hat seine Gründe, warum heute manche das Mittelalter vor allem mit Brutalität assoziieren.

Aber wir brauchen nicht bis zum Zeitalter der Aufklärung zu warten, um jemanden zu finden, der Karl den Großen zur Rede stellte. Ein Zeitgenosse von ihm, der angelsächsische Gelehrte Alkuin von York (735–804), war mutig genug, Karl in einem Brief offen zu kritisieren. »Man kann einen Menschen zum Glauben locken, aber nicht zwingen«, schrieb Alkuin. Wir müssen »dem Beispiel der Apostel folgen; lasst sie Prediger sein, nicht Plünderer«[80]. Denn: »Glaube ergibt sich aus dem Willen, nicht aus Zwang.«[81] Alkuin folgte der Art Christi, der Weisheit der Bibel, dem Vorbild der alten Kirche und der Lehre missionarischer Bischöfe wie Gregor dem Großen, der zwei Jahrhunderte zuvor Augustinus angewiesen hatte, nur »sanfte Methoden« anzuwenden. Karl der Große war definitiv nicht in Einklang mit dem Geist Christi.

Später sollte die offizielle Lehre der Kirche Alkuins Position bestätigen. Im 12. Jahrhundert verbot sie alle Zwangsmethoden der Missionierung, da der Glaube aus dem freien Willen kommt und nicht aus Zwang. Erleuchtung kommt nur durch Überzeugen und Erziehen. Die Gewalt eines Karl des Großen erwies sich alles in allem als die Ausnahme und nicht die Regel.

Aber jetzt höre ich förmlich, wie manche protestieren: Wie war das denn mit den Kreuzzügen und der spanischen Inquisition? Dies sind häufige Fragen in Diskussionen über das Christentum allgemein und das Mittelalter im Besonderen, und das sollte uns nicht wundern, sind doch beide Stichworte Paradebeispiele für die Anwendung von Gewalt durch die Kirche. Zeigen diese Auswüchse nicht, dass das Christentum keine Probleme mit Gewalt und Zwang hat, ja, vielleicht sogar in ihnen gründet? Schauen wir uns im Folgenden die Kreuzzüge und die Inquisition kurz an und benutzen wir dabei das Schema der »krummen« und »geraden« Linien aus dem vorigen Kapitel. Wir werden jeweils in drei Schritten vorgehen: 1. mit den Mythen aufräumen, 2. uns dem Krummen stellen und 3. das Gerade einfordern.

Wie war das mit den Kreuzzügen?

Mythos und Wahrheit

Man kann die Geschichte der Kreuzzüge (1096–1229) ganz unterschiedlich erzählen. Z. B. so: Die Kreuzzüge waren fünf (oder sechs, je nach Zählung) militärische Kampagnen, um das muslimisch beherrschte Jerusalem für die Christenheit zurückzuerobern. Der Islam hatte sich von Anfang an durch Eroberungskriege ausgebreitet und hielt Jerusalem seit 637 besetzt. Nach viereinhalb Jahrhunderten voller Verluste und Niederlagen bat der byzantinische Kaiser die Christen um Hilfe gegen den erneuten Ansturm des Islam, der das ganze Byzantinische Reich von der Landkarte zu fegen drohte. Papst Urban II. antwortete auf den Hilferuf, und mit ihm Zehntausende Kreuzritter. Die völlig überraschende Eroberung Jerusalems im ersten Kreuzzug brachte allen Parteien schwere Verluste, und darauf folgten viele Niederlagen. Bis ins letzte Jahrhundert war dies das Bild, das die Muslime selbst von den Kreuzzügen zeichneten: eine alles in allem blamable Niederlage für die Christen.

Der Historiker Rodney Stark sieht das anders:

> Die Kreuzzüge geschahen nicht ohne Provokation. Sie waren nicht die erste Runde im europäischen Kolonialismus. Sie zielten nicht auf die Eroberung von Territorien, auf Beute oder auf Bekehrungen. Die Kreuzfahrer waren keine Barbaren, die die kultivierten Muslime bedrängten. Die Kreuzzüge sind kein Schandfleck in der Geschichte des Christentums. Es gibt hier nichts, wofür man sich entschuldigen müsste.[82]

Dies ist *eine* Möglichkeit, die Geschichte zu erzählen, und sie räumt mit etlichen Mythen auf. Doch ein anderer Historiker (und Christ), John Dickson, zeichnet ein anderes Bild. Er fordert uns auf, dem ganzen »Krummen« der Kreuzzüge ins Gesicht zu sehen.

Krumm ist nicht gerade

Dickson sieht die Kreuzzüge »als ein Symbol ... für die allzu menschliche Neigung der Kirche zu Dogmatismus, Hass und Gewalt gegenüber Feinden. Es sollte für echte Christen eine Selbstverständlichkeit sein, sich dieser Realität zu stellen.« Er schreibt über Gräueltaten der Kreuzritter auf ihrem Weg nach Jerusalem und belegt dies u. a. durch den folgenden Augenzeugenbericht über den 15. Juli 1099, dem Tag, an dem die Kreuzritter die muslimischen Verteidigungslinien durchbrachen:

> Wunderbares bot sich unseren Augen dar. Einige unserer Männer schlugen die Köpfe ihrer Feinde ab. Andere trafen sie mit Pfeilen, sodass sie von den Türmen herabstürzten. Wieder andere verlängerten ihre Qual, indem sie sie in die Flammen warfen. In den Straßen der Stadt sah man ganze Haufen von Köpfen, Händen und Füßen ... Es war wahrlich ein gerechtes, herrliches Gottesgericht.[83]

Es ist diese Vermischung von Gott und Gräueltaten, die wir heute so abstoßend finden, aber sie gehörte untrennbar zu den Kreuzzügen dazu. Genauso problematisch finden wir die damals praktizierte Verquickung von Kirche und Staat. Es waren Päpste, die die Kreuzfahrer rekrutierten und aussandten. Es waren führende Theologen jener Zeit, wie Bernhard von Clairvaux (1090–1153), die ihnen versicherten:

»Nehmt das Zeichen des Kreuzes, und euch wird jede Sünde vergeben.« Es war das Kreuzeszeichen, das die Soldaten auf ihren Uniformen trugen – aber es war ein Kreuz, dessen Bedeutung ins völlige Gegenteil verkehrt war. Die Kreuzzüge waren erschreckend »krumm«. Aber wieder müssen wir fragen: Krumm im Vergleich wozu?

Plädoyer für die gerade Linie

Die gerade Linie, die die Kreuzzüge verurteilt, ist eben das Zeichen, unter dem sie stattfanden: das Kreuz. Ein Kreuzfahrer trug gleichsam den Stempel des Kreuzes. Wenn jemand als Kreuzritter nach Jerusalem zog, »nahm er sein Kreuz auf sich«. Der Satz sollte bewusst an Christi Befehl erinnern: »Wenn jemand mein Jünger sein will, dann muss er sich selbst verleugnen, er muss sein Kreuz aufnehmen und mir folgen« (Mt 16,24; NeÜ). Für Jesus bedeutete dies, Leiden zu ertragen; für die Kreuzfahrer dagegen bedeutete es, Leid zufügen.

Es war ein grotesker Widerspruch, und nicht alle waren blind für ihn. So zog während des fünften Kreuzzugs Franz von Assisi (1181–1226) auf das Schlachtfeld (hier: Ägypten) und versuchte (vergeblich), die Kreuzfahrer weg vom Weg der Gewalt und hin auf den Weg des friedlichen Überzeugens zu führen. Dann ersuchte er um die Erlaubnis, dem Sultan von Ägypten eine Predigt zu halten – eine unglaubliche Bitte, die (noch unglaublicher) gewährt wurde. Es gelang keiner der beiden Seiten, die andere zu überzeugen; immerhin trug Franz immer noch seinen Kopf auf den Schultern, als er wieder nach Hause fuhr. Sein Eintreten für Gewaltlosigkeit unter Einsatz seines Lebens war ein Hinweis darauf, was »sein Kreuz auf sich nehmen« wirklich bedeutet.

Die Kreuzritter kämpften unter dem Banner des Kreuzes. Was konnte dies anderes als ein furchtbarer Widerspruch sein? Aber machen wir ein Experiment und beurteilen die Kreuzzüge nach einem anderen Maßstab. Vergleichen wir sie mit den Schlachten und Blutbädern eines Alexanders des Großen, eines Caesars oder eines Mohammeds. Dann wären sie nichts Außergewöhnliches, sondern die übliche Praxis: business as usual sozusagen. Wenn wir über die Kreuzzüge entsetzt sind – und das sollten wir! –, dann ist dies ein typisch *christliches* Entsetzen.

Wie war das mit der spanischen Inquisition?

Mythos und Wahrheit

Die spanische Inquisition (1478–1834) war ein Tribunal zur Untersuchung und Bestrafung von Häretikern in Spanien und den spanischen Kolonien. Die Inquisition wurde sprichwörtlich für ihre Brutalität, wobei hier vor allem von protestantischer Seite die Mythenbildung durch aufgeblähte Opferzahlen vorangetrieben wurde.

Eine nüchterne historische Recherche (und es gibt sehr exakte Dokumente) kommt für die berüchtigten 50 Jahre unter Tomas de Torquemada und seinen Protegés (1480–1530) auf ca. 2000 Hinrichtungen. In den folgenden 300 Jahren gab es weitere 3000. Vergleicht man die schlimmsten Jahre unter Torquemada mit den letzten 45 Jahren Hinrichtungen in US-Gefängnissen, sind die Niveaus in etwa gleich. Ein Vergleich mit dem revolutionären Terror in Frankreich, mitten im »Zeitalter der Aufklärung«, ist noch ernüchternder. In den neun Monaten nach dem Sturm auf die Bastille (1789) wurden 17 000 Menschen im Namen von Freiheit, Gleichheit und Brüderlichkeit hingerichtet. Oder nehmen wir den Roten Terror nach der russischen Revolution von 1917, für den »die besten Schätzungen die wahrscheinliche Zahl der Hinrichtungen bei etwa 100 000 ansiedeln«[84]. Das ist eine Hinrichtungsrate, die 1400-mal höher ist als die der spanischen Inquisition. Aber trotzdem …

Krumm ist nicht gerade

Diese 5000 Toten sind ein dunkler Schandfleck in der Geschichte der Kirche. Jeder einzelne Fall ist eine Sünde gegen den Hingerichteten sowie ein Verbrechen gegen die Gewissensfreiheit. Überzeugung und nicht Zwang sollte das Mittel sein, mit dem man andere auf seine Seite zieht, und jeder Tod im Namen des Christentums ist ein Angriff auf dieses Prinzip. Dies ist wahrlich etwas Finsteres. Aber warum reagieren wir denn so stark gegenüber solch einem Zwang? Wieder einmal verrät uns die krumme Linie, dass es eine gerade gibt …

Plädoyer für die gerade Linie

Es ist immer falsch, anderen seine Meinung aufzuzwingen – egal, ob es dabei um den christlichen Glauben oder die Freiheit geht, die Demokratie, das Arbeiterparadies oder ein muslimisches Kalifat. Aber warum ist es falsch? Weil wir ein Bewusstsein davon haben, was richtig ist. Wir sind davon überzeugt, dass es einen fundamentalen Unterschied zwischen Argumenten und Gewalt gibt. Wir glauben, dass Gewalt keine legitime Methode ist, Einfluss auszuüben,

Überzeugen durch Argumente dagegen sehr wohl. Woher haben wir dieses Wissen? Es war Jesus, der sagte: »Steck dein Schwert weg!« (Mt 26,52; NeÜ), und Paulus hat die Christen angewiesen, stattdessen »das Schwert des Geistes, das ist Gottes Wort« in die Hand zu nehmen (Eph 6,17). Die Inquisition hat Zwang und Folter eingesetzt, und das war falsch. Aber wenn wir stattdessen an friedliche Methoden glauben, dann sind die einzigartigen Grundlagen des Christentums der Boden, auf dem wir stehen können.

Licht in der Finsternis

Sollten wir unseren Einfluss durch Gewalt oder Überzeugungsarbeit ausüben? Durch Zwang oder Dialog? Durch das Schwert oder durch Vertrauen? Zu Beginn der 780er-Jahre standen Karl der Große und Alkuin für zwei radikal unterschiedliche Positionen in dieser Frage. Karl der Große agierte als Herrscher auf die übliche Art, und die Zahl der Toten stieg und stieg. Doch – unglaublich, aber wahr – gegen Ende jenes Jahrzehnts hatte der Theologe und Gelehrte Alkuin das Herz des Kriegsherrn Karl der Große verändert. Er überzeugte ihn von der Macht des Überzeugens. Karl machte Schluss mit seiner Politik der Zwangsbekehrungen und warf – was er machte, das machte er gründlich – das Ruder entschlossen herum. Der Mann, den man bald zum Kaiser krönen würde, wurde zum Pädagogen.

Wenn das Überzeugen die wahre »Waffe« eines christlichen Herrschers war, dann musste Karl der Große mit der Hilfe Alkuins und seiner Kollegen ganze Armeen von neuen Schülern ausbilden. Was er auch tat. »Ohne Bildung waren sie verloren; ohne Bildung konnten sie nicht zu Christus gebracht werden.«[85] Und so ordnete Karl der Große im Jahr 789 umfassende Bildungsreformen an – der Anfang der sogenannten karolingischen Renaissance. Über 70 Schulen wurden gegründet, an denen man die Sieben Freien Künste studieren konnte: Grammatik, Logik und Rhetorik und auf dieser Grundlage aufbauend Arithmetik, Geometrie, Musik und Astronomie. Wer eine dieser Schulen absolviert hatte, konnte anschließend Medizin, Jura oder Theologie studieren; man beachte, was für ein breites Grundwissen für diese Disziplinen vorausgesetzt wurde.

Und man beachte auch die Quellen all dieser Gelehrsamkeit. Sie waren nicht auf die Bibel oder auf christliche Autoren begrenzt. Zu ihnen gehörten solche Namen wie »Platon, Aristoteles, Galen, Plinius der Ältere, Horaz, Cicero, Seneca, Virgil, Livius, Ovid und noch etwa 60 weitere Autoren«[86]. Man schätzt, dass im 8. und 9. Jahrhundert an die 50 000 Bücher dieser Autoren abgeschrieben und veröffentlicht wurden.[87] Es war ein Trend, der sich immer mehr verstärkte. Das 12. Jahrhundert sah »eine wahre Flut von Übersetzungen« der antiken Werke ins Lateinische. Die ältesten erhaltenen Kataloge der damaligen Klosterbibliotheken weisen auf »große Sammlungen klassischer Autoren« hin.[88]

Haben Sie schon mal den Vorwurf gehört, Christen hätten die klassische antike Gelehrsamkeit zerstört? Fast immer war das Gegenteil der Fall; die mittelalterlichen Gelehrten studierten und bewahrten diese alten Werke mit der größten Sorgfalt. Diese Jahrhunderte waren in der Tat ein Zeitalter des Glaubens, aber »Glaube« stand nicht für Ignoranz, Leichtgläubigkeit oder Aberglauben. Er stand für Bildung. Diejenigen, die sich zum Zeitalter der Vernunft zugehörig sehen, riskieren dabei, sich in die Rolle einer Helden-Karikatur zu begeben, um die Welt vor einer Schurken-Karikatur zu retten. Aber jetzt wollen wir uns die Aufklärung, die bereits im Mittelalter existierte, etwas genauer ansehen. Ich möchte Sie auf fünf Bereiche hinweisen, in denen es im Mittelalter deutliche Fortschritte gab: Technologie, Menschenrechte, Universitäten, Parlamente und die Reformation.

Technologie

Arbeitssparende Innovationen waren ein großes Thema im Europa des Mittelalters, und die religiösen Gemeinschaften wie die Klöster waren die Vorreiter. Wo sich die Römer auf die von Aristoteles und Platon sogenannten »menschlichen Werkzeuge«, die Sklaven, verlassen hatten, setzten die Mönche auf mechanische Werkzeuge, um den Menschen die mühsame Arbeit zu erleichtern. Es kam zu großen Fortschritten in der Nutzung von Wind- und Wasserkraft, in der Segelschiff-Technik sowie in der Landwirtschaft (Pflanzenzucht, Dreifelderwirtschaft, Pflüge u. a.). Ein Meilenstein war die Erfindung der Brille – eine riesige Hilfe für eine Gesellschaft, in der immer mehr Menschen lesen konnten.

Zur Ehre Gottes wurden immer größere und prächtigere Kirchen erbaut – die Kathedralen (allein in England gibt es 26). Möglich wurde dies durch architektonische Innovationen wie Strebebogen und gotische Bögen. Diese beherbergten die bis dahin modernste Maschine der Welt – die Pfeifenorgel. Doch schon bald wurde diese Ehre der mechanischen Uhr zuteil, die im 13. Jahrhundert erfunden wurde, unter anderem zur besseren Einhaltung der klösterlichen Gebetszeiten. Für einen mittelalterlichen Christen war die Technik ein Bereich, in dem sich das Wohl des Menschen und die Ehre Gottes die Hand reichen sollten.

Menschenrechte

Wir haben weiter oben erwähnt, dass der Begriff der »säkularen Sphäre« letztlich auf Augustinus zurückgeht und im 11. und 12. Jahrhundert eine große Blüte erlebte. Gerade diese beiden Jahrhunderte sind eine wichtige, aber oft übersehene Blütezeit in der Geschichte der Menschheit. Man nennt sie manchmal das Zeitalter der »Gregorianischen Reformen«, nach Papst Gregor VII. (1020–1085). Andere sprechen lieber von der »Revolution der Päpste«, denn es waren etliche Päpste, die Gregors Reformen umsetzten. In diese Zeit fällt die Sammlung und Analyse zahlreicher Entscheidungen der Kirchengerichte, die auf den christlichen Glauben zurückgehende Begriffe wie Gleichheit, Nächstenliebe, Ehe und vieles mehr in die Form kirchlicher Gesetze goss (»kanonisches Recht«).

So entstand ein Vokabular der »Rechte«, wie es dies vorher nicht gegeben hatte. Von Anfang an hatten die Christen darum gewusst, dass sie *Pflichten* hatten (z. B. den Armen zu helfen), aber jetzt formulierten die Kirchenjuristen die andere Seite der Gleichung: *Rechte*. Die Reichen haben nicht nur eine Verantwortung gegenüber den Armen; die Armen haben Ansprüche gegenüber den Reichen. Sie haben Rechte – Menschenrechte, die jeder gleichsam von Natur aus hat, unabhängig von seiner Position und seinen finanziellen Mitteln. Im Laufe der Zeit wurden diese Vorstellungen auch

Teil des säkularen Rechts. Die Vorstellung, dass wir unter dem Gesetz alle frei und gleich sind und gewisse unveräußerliche Rechte haben, hat nicht erst die Aufklärung entdeckt; es ist eine biblische Wahrheit, die in 1. Mose gepflanzt, von der Kirche kultiviert wurde und in jenen angeblich finsteren Tagen des christlichen Mittelalters hell erblühte.

Universitäten

Eines der ganz großen Geschenke der christlichen Zivilisation an die Welt geht auf das Hochmittelalter zurück. Wir sahen bereits, dass in den Klöstern das Thema Bildung hochgehalten wurde, aber die Universitäten waren etwas Neues. Sie waren nicht wie die Philosophenschulen der Griechen und Römer, die von einem einzelnen Lehrer oder einer Denkrichtung gegründet wurden, und auch nicht wie die chinesischen Akademien zur Ausbildung der Hofbeamten. Die Universitäten waren nicht dafür da, überliefertes Wissen weiterzugeben oder die Studenten auf einen Beruf vorzubereiten. Sie dienten der echten Forschung. Es ging nicht nur um die Bewahrung von vorhandenem Wissen, sondern um neues Wissen, um Innovationen, und ein wichtiger Innovationsmotor wurde der Wettbewerb zwischen den verschiedenen Forschern und Gelehrten. Im 13. Jahrhundert wurden Bologna, Paris, Oxford und Cambridge zu Universitätsstädten. Im folgenden Jahrhundert kamen mindestens 20 dazu, und die Zahl der Studenten ging in die Tausende. Heute gibt es Universitäten in der ganzen Welt, aber an ihrem Anfang standen Überzeugungen wie der Wahlspruch der Universität von Oxford: »Gott ist das Licht, das mir den Weg erleuchtet.«

Parlamente

In diesen Jahrhunderten begannen die Kirchenjuristen auch, theologische Begriffe auf die politischen Realitäten anzuwenden. Wenn die Bürger »Rechte« besaßen, konnten die Herrscher unmöglich unbegrenzte Macht haben, sondern sie hatten ihren Untertanen zu »dienen«, was ganz der Lehre Christi entsprach. Doch mehr noch: Im Alten Testament hatte Gott mit seinem Volk Verträge geschlossen, die sogenannten »Bünde«, in denen er zusagte, ein guter und barmherziger Herrscher zu sein. Dies wurde zu einem Modell für das Verhältnis irdischer Herrscher zu ihren Untertanen. Wenn sie die Rechte ihrer Bürger verletzten, brachen sie den Vertrag, auf dessen Grundlage sie ihr Amt bekommen hatten. Was frappierende Anklänge an die Gesellschaftsvertrags-Theorien der politischen Philosophen der Aufklärung hat – und das etwa sechs Jahrhunderte vor ihnen! Und diese Reformen hatten auch ganz praktische Folgen. So wurde in England die Macht des Königs durch die Magna Carta von 1215 begrenzt. Es folgte die Einführung des Parlaments (1275), dem bald auch »bürgerliche« Personen angehören konnten (1295, 1327). Juristische wie politische Reformen veränderten die Welt langsam, aber stetig. Und dann kam auch die religiöse Welt selbst an die Reihe, durch das Ereignis, das wir gemeinhin die »Reformation« nennen.

Die Reformation

Man hat Martin Luther (1483–1546) manchmal »den letzten Menschen des Mittelalters und ersten Menschen der Moderne« genannt. Als Augustinermönch und Universitätsprofessor war er ganz ein Vertreter des Mittelalters.

Aber diese Positionen verschafften ihm auch den Zugang zur Bibel, die er mit der Liebe zum Detail las, die ihm das Kloster und das Studium vermittelt hatten. Er fühlte sich gefangen in einem religiösen System, in dem er nie frei von Schuld war. Trotz endloser Bußübungen, wie sie die katholische Kirche damals vorschrieb, hatte er nie den Eindruck, dass Gott ihm vergeben hatte. Der Durchbruch kam, als er las, was der Apostel Paulus im 1. Kapitel des Römerbriefs über den Glauben schrieb. Luther berichtet: »Da fühlte ich mich wie ganz und gar neu geboren, und durch offene Tore trat ich in das Paradies selbst ein.«[89]

Dabei handelte es sich um eine Bibelstelle aus Römer 1,16-17, wo es heißt, dass das, was uns vor Gott »gerecht« macht, allein der »Glaube« an Jesus Christus ist. Es war das große Befreiungserlebnis für Luther; er erkannte: Erlösung bekommen wir nicht als »Belohnung« nach einem langen Weg kirchlich überwachter Bußleistungen, sondern erlöst zu werden, das ist so ähnlich wie heiraten. Erlösung geschieht in dem Augenblick, in dem Jesus unser »Ehemann« wird. Jesus ist wie ein reicher Königssohn, der eine arme Hure (d. h. uns) zu seiner Frau erwählt hat. Die einzige Mitgift, die wir in diese Ehe mitbringen, ist unsere Schuld (unsere Sünden), die Jesus am Kreuz bezahlt hat und für die er uns seinen ganzen Reichtum (seine Gerechtigkeit) schenkt. Durch diese der Ehe ähnliche Verbindung macht er uns zu Menschen, die »gerecht« (d. h. vor Gott als unschuldig erklärt) sind. Wir bekommen diese Gerechtigkeit nicht, weil wir so gut wären, sondern weil wir Jesus in unser Leben aufgenommen haben. Mit anderen Worten: Wir werden allein durch den Glauben an Jesus vor Gott gerecht erklärt.

Luther blieb auch dann bei dieser Erkenntnis, als er von Papst und Kaiser zum Widerruf aufgefordert wurde. Luthers Beharrlichkeit war eine radikale Infragestellung der Autoritäten seiner Zeit und ein Bestehen auf der persönlichen Gewissensfreiheit. Indem er die Autorität der Bibel betonte, minderte er die Autorität der Traditionen und Institutionen. Es waren Werte, die uns heute ziemlich normal vorkommen (nun ja, außer der Sache mit der Bibel). Das ist der Grund, warum Luther oft als der erste »moderne« Mensch der Geschichte gesehen wird. Er hat uns ein »modernes« (und modernisierendes) Bild von der Geschichte hinterlassen.

Willkommen im Licht

Ein beliebtes protestantisches Motto lautete: »Semper reformanda« (permanent zu reformieren), und ein anderes: »Aus der Finsternis ins Licht.« Luther kämpfte gegen eine geistliche Finsternis, von der es mehr als genug gab. Aber als diese Ideen in der allgemeinen Kultur Einlass fanden, begannen sie, auch die Einstellung gegenüber anderen Bereichen zu verändern – einschließlich der Vergangenheit. Wir neigen dazu, in den vergangenen Epochen nur das Finstere, Reformbedürftige zu sehen. Wenn wir zu dieser Perspektive kein Korrektiv haben, sehen wir in unserer Geschichte nur noch das Dunkle, Problematische und nicht mehr das Helle, Lobenswerte.

Und so konnte es dazu kommen, dass im 17. und 18. Jahrhundert Denker der Aufklärung wie Thomas Paine das Mittelalter mit einem tausendjährigen Reich der Finsternis verglichen. Es war eine »Nacht« für die Welt, und die Morgenröte kam erst mit der Renaissance (das Wort kommt aus dem Altfranzösischen und bedeutet wörtlich »Wiedergeburt«). Es war eine große Wüste, die jetzt endlich hinter uns lag, sodass wir ins Gelobte Land einziehen konnten. Was fällt Ihnen an dieser Sicht von der Vergangenheit auf? Sie hat einen deutlich christlichen (genauer: protestantischen) Geschmack. Dieselben Menschen, die mit dem »Zeitalter des Glaubens« so heftig ins Gericht gingen, waren Kinder eben dieses Glaubens. Und die, die die »Vernunft« so laut anpriesen, wurden irrational, sobald es um die Kirche ging.

Es ist *un*vernünftig, das Mittelalter als unfruchtbare Wüste zu betrachten, wenn es die großen Kathedralen, die Universitäten und die Institution der Parlamente hervorgebracht hat, dazu die Sprachkunstwerke eines Dante und Geoffrey Chaucer und, und, und. Noch gab es die modernen, liberalen Demokratien nicht, aber ihre intellektuellen Fundamente wurden gelegt: die Trennung von Kirche und Staat, die Menschenrechte, Theorien über gerechte Kriege, gerechte Herrscher, gerechte Gesetze und gerechte Gesellschaften. Und all dies geschah durch christliche Denker und aus christlichen Motiven – aber die Gelehrten der Aufklärung vermochten nur eine Wüste zu sehen. Wo blieb da ihre vielgerühmte Vernunft? Zehn Minuten in der Kathedrale von York (Nordengland) sollten genügen, um den Mythos vom »finsteren Mittelalter« zu zerstreuen, aber der Mythos hält sich hartnäckig.

Warum? Weil er von einem Mönch des Mittelalters stammt.

6

Wissenschaft

»Wir richten den Lichtkegel der Wissenschaft auf diesen unsichtbaren Killer [das Corona-Virus] … Wir werden der Wissenschaft folgen.«

(Boris Johnson, britischer Ex-Premierminister)

Wie alle anderen führenden Politiker der Welt beeilte sich auch Boris Johnson, der damalige britische Premierminister, der Nation zu versichern, dass in Sachen Covid-Pandemie die Regierung »der Wissenschaft folgen« bzw. »sich von der Wissenschaft leiten lassen« würde; suchen Sie sich etwas aus. Und suchen Sie sich aus, was Sie unter »der Wissenschaft« verstehen. Angeblich geht es um Immunologen, Virologen und Epidemiologen, aber selbst die können sich nicht einigen. Was jetzt?

Aber vielleicht gibt es noch andere Wissenschaftler, die wir fragen könnten? Soziologen vielleicht? Psychologen? Gesundheitsökonomen? Könnte man die nicht auch unter »Wissenschaft« subsumieren? Oder wie wäre es mit Ethikern, politischen Philosophen oder Historikern? Okay, die klingen nicht besonders »wissenschaftlich«. Doch gibt es da nicht auch noch die Geistlichen, die religiösen Experten?

Das moderne Ohr ist nicht geneigt, das mit den »Geistlichen« ernst zu nehmen. In einer modernen Demokratie hat der Slogan »Wir werden den Geistlichen folgen« keine Chancen. Doch es gab ganze Jahrhunderte, da waren es vor allem die Geistlichen, die die Menschen durch die nächste Pest führten. Auch früher gab es Medikamente, Quarantäne usw., aber man wusste darum, dass der höchste »Führer«, »Leiter« und »Helfer« – Gott war. Heute nicht mehr; heute setzen wir auf die Wissenschaft – nicht irgendeine Wissenschaft natürlich, sondern die *moderne* Wissenschaft. Wir glauben, dass es ein Ding namens »Wissenschaft« gibt, das unseren Weg erleuchtet, unseren Gehorsam fordert und uns von allem Bösen erlösen wird. Fällt Ihnen an dieser Beschreibung etwas auf? Richtig: Sie klingt verdächtig nach der traditionellen Definition von Gott.

Ist also die Wissenschaft an die Stelle Gottes getreten? Wenn sie unser »Licht« ist und das, was uns Hoffnung und Trost gibt, ist dann die ganze Sache mit der Religion nicht überflüssig geworden? Vielleicht gibt es ja einen Revierkampf zwischen Glauben und Wissenschaft. Und seien wir ehrlich: Diesen Kampf kann der Glaube nur spektakulär verlieren. Wir haben heute doch Smartphones, Impfstoffe und Weltraumraketen.

Dies ist jedenfalls der Eindruck, den ich bekomme, wenn ich mit Menschen über den Glauben rede. Eine sehr häufige Reaktion ist: »Danke, ich halte es mehr mit der Wissenschaft.« Vielleicht geht es Ihnen genauso. Die allermeisten Menschen in meinem Umfeld, die sich nicht für den Glauben interessieren, sind nicht so sehr gegen Gott, sondern für die Wissenschaft, für das Moderne, für den Fortschritt. Sie sind ein Fall von »Bitte verstehen Sie mich nicht falsch, ich meine das nicht böse, aber ich halte mich an die Wissenschaft«. Aber – und darum soll es in diesem Kapitel gehen – vielleicht müssen wir uns gar nicht unbedingt zwischen Glauben und Wissenschaft entscheiden?

Der »Krieg« zwischen Religion und Wissenschaft scheint vielen von uns selbstverständlich zu sein. Aber historisch gesehen ist er etwas ziemlich Neues. Die Begründer der modernen wissenschaftlichen Methodik wären über diesen Streit verblüfft. Was ist also passiert?

Wenn aus Freunden Feinde werden

Als Boris Johnson vom »Lichtkegel« der Wissenschaft sprach, benutzte er eine altbekannte Analogie. 300 Jahre vorher hatte der Dichter Alexander Pope Folgendes über Isaac Newton und seine Entdeckungen geschrieben:

> Natur, Naturgesetze im Dunkeln sah man nicht;
> Gott sprach: Es werde Newton! Und es ward Licht.[90]

Dieser Nachruf auf den Vater der modernen Physik zeigt sehr schön, wie man während der sogenannten »wissenschaftlichen Revolution« im 16. und 17. Jahrhundert über das Verhältnis zwischen Wissenschaft und Glauben dachte. Gott und Newton spielten sozusagen in derselben Mannschaft. Die Wissenschaft und die Wissenschaftler waren Gaben Gottes, die ihm halfen, seinen Job zu tun – die Dunkelheit der Unwissenheit zu vertreiben.

Doch dann, während der Aufklärung im 18. Jahrhundert, veränderte sich dieses Verhältnis, und im 19. Jahrhundert mehrten sich die Stimmen, die von einem großen Konflikt zwischen Gott und der Wissenschaft sprachen. Für diese Stimmen war die Dunkelheit, die von der Wissenschaft vertrieben wurde, nicht die Finsternis der menschlichen Unwissenheit, sondern das Licht der Wissenschaft vertrieb das Christentum. Das glaubte z. B. Thomas Jefferson, der dritte Präsident der USA:

> Geistliche … fürchten den Fortschritt der Wissenschaft wie Hexen das Herannahen des Sonnenaufgangs.[91]

Für Jefferson stand die Kirche für die Kräfte der Dunkelheit, die auf verlorenem Posten gegen die Wissenschaft kämpften. Widerstand war zwecklos. Sich dem wissenschaftlichen Fortschritt entgegenzustellen war gerade so wie der Versuch, die Erde anzuhalten oder die Sonne abzuschalten. Egal, was die Kirche alles anstellte, das Licht würde kommen, die Schatten der Unwissenheit und der Dogmen würden fliehen und die Welt würde von Neuem geboren werden.

Gegen Ende des 19. Jahrhunderts hatte sich die Vorstellung eines Krieges zwischen Wissenschaft und Religion in den Köpfen der Menschen festgesetzt. 1874 schrieb John Draper sein Buch *History of the Conflict Between Religion and Science* (»Geschichte des Konfliktes zwischen Religion und Wissenschaft«). 1896 war aus dem »Konflikt« ein regelrechter »Krieg« geworden, als Andrew Dickson seine *History of the Warfare of Science with Theology* (»Geschichte des Krieges der Wissenschaft mit der Theologie«) schrieb.

Durch polemische Schriften wie diese wurde der Glaube an einen Krieg zwischen Wissenschaft und Religion zur »Idee, die nicht totzukriegen war«[92], wie es ein modernes Buch formuliert.

Diese bis heute prominente Sicht vom Verhältnis zwischen Wissenschaft und Glauben wird »Konflikt-These« genannt. Aber in diesem Kapitel wollen wir etwas typisch Wissenschaftliches machen: diese These anhand der Fakten auf Herz und Nieren prüfen. Dabei werden wir sehen, dass sie nicht durch die Fakten gestützt wird – was bedeutet, dass wir sie, als gute Wissenschaftler, revidieren müssen.

Wissenschaftliche Revolution oder Evolution?

Es gibt (mindestens) zwei Arten, wie man die Geschichte der modernen Wissenschaft erzählen kann: als Revolution oder als Evolution. Manche bevorzugen die Revolution. Nach Jahrhunderten des finsteren Mittelalters kommt plötzlich der Durchbruch: Nikolaus Kopernikus stellt die Sonne in den Mittelpunk des Sonnensystems, und – »Es werde Licht!« – die Wissenschaft ist geboren. Doch diese Geschichte über den Anfang der Wissenschaft hat etliche große Löcher. Die Fakten zeigen in eine andere Richtung. Im Folgenden möchte ich ihnen eine Geschichte der Entwicklung der modernen Wissenschaft vorstellen, die viel stärker in Richtung Evolution geht, und sie beginnt nicht im 16. Jahrhundert, sondern schon viel eher. Um sie zu verstehen, müssen wir eine Zeitreise in die Antike machen und uns in das Denken eines antiken Astronomen versetzen.

Bis zum 16. Jahrhundert ging man davon aus, dass die Erde den Mittelpunkt des Universums bildete und dass

Sonne, Mond und Sterne um sie kreisten. Wir denken vielleicht, dass die alten Denker stolz darauf waren, dass sich das ganze Universum um sie drehte. Aber das waren sie nicht, denn für sie spielte die eigentliche Musik im Himmel, wo es viel vollkommenere Wesen gab als auf der Erde; die Erde, das war ganz unten, sozusagen der Keller des Universums. Berühmte Vertreter des geozentrischen Modells waren der griechische Philosoph Aristoteles (ca. 384–322 v. Chr.) und der in Alexandria (Ägypten) lebende griechische Astronom Ptolemäus (100–170 n. Chr.). Ptolemäus lieferte den mathematischen Unterbau für das aristotelische Modell, und obwohl seine Berechnungen hoch kompliziert (und zuweilen höchst unwahrscheinlich) waren, funktionierten sie – jedenfalls genug, um die Bewegungen der Sterne und Planeten vorherzusagen. Aber es gab Probleme.

Ein zentrales Merkmal des Weltbilds der alten Griechen war die Idee von Schicksal und Notwendigkeit. Für Aristoteles wurde alles Geschehen von einer übergeordneten Vernunft geleitet. Weder die Götter noch die Menschheit oder die Welt waren frei. Alles war genau so, wie es sein *musste*. Wenn jemand fragte, wie die Umlaufbahnen der Planeten aussahen, antwortete Aristoteles: *Exakt kreisförmig, denn der Kreis ist die vollkommenste geometrische Form, und im gesamten Kosmos sind die Himmelskörper das, was der Vollkommenheit am nächsten kommt.* Man beachte die Prämissen, die diesem Satz zugrunde liegen: Die Struktur der Dinge ist sozusagen in die Substanz des Kosmos eingebrannt. Die Umlaufbahnen der Planeten sind durch eine höhere Vernunft festgelegt, und durch sorgfältiges Nachdenken haben wir Zugang zu dieser Vernunft. Die Untersuchung der Welt mithilfe unserer Sinne dagegen ist unzuverlässig, denn unsere Sinne können trügen. Für Aristoteles und seine Schüler war das Studium der Welt weniger eine Reise »nach außen«, in die oft überraschende Art und Weise, wie die Dinge *sind*, als vielmehr »nach oben«, in die vom menschlichen Geist vorhersagbare Art, wie die Dinge *sein müssen*. Diese Einstellung machte die Griechen zu brillanten Denkern, die jedoch keinen Sinn für Experimente hatten.

Die Bibel malte ein ganz anderes Bild und eröffnete damit ganz andere Perspektiven für das Verstehen der Welt. Schauen wir uns drei biblische Grundlehren an, die wir bereits in den ersten drei Kapiteln der Bibel finden. Es sind Wahrheiten über Gott, über die Welt und über die Menschheit.

Die Geburt der modernen Wissenschaft

»Im Anfang« war Gott (1Mo 1,1). Das ist laut dem biblischen Schöpfungsbericht unser Ursprung. Und weil Gott vor und hinter dem Universum existiert, ist er keinen Begrenzungen unterworfen. Die alten Griechen glaubten an ein ewiges Universum; der Gott der Bibel muss sich nicht mit einer präexistenten Welt herumschlagen, er muss auch keinerlei Gesetzen oder Logiken folgen, die außerhalb von ihm existieren. Gott ist frei. Als er beschloss, die Welt zu erschaffen, machte er sie mit seiner eigenen Schöpferstimme exakt so, wie er sie haben wollte. »Und Gott sah alles, was er gemacht hatte, und siehe, es war sehr gut« (1Mo 1,31).

Die Erde hat einen Mond (1Mo 1,16). Sie hätte auch drei oder neun haben können. Warum nur einen? Die Antwort ist nicht, dass eine Erde mit nur einem Mond eine logische

Notwendigkeit ist. Die tiefste Antwort lautet schlicht: Weil Gott es so gemacht hat. Wenn wir herausfinden wollen, wie viele Monde die Erde (oder sonst ein Planet) hat, gibt es nur eines: selbst nachschauen.

Und dies gilt für alles in der Natur. Im Prinzip könnten die Umlaufbahnen der Planeten kreisförmig sein, Gott hätte sie aber auch dreieckig machen können. Nichts ist selbstverständlich, alles muss getestet werden. Denn wenn Gott frei ist, dann könnte das Universum auch ganz anders aufgebaut sein, je nachdem, was Gott will. Wir glauben, die Welt *muss* auf eine ganz bestimmte Art eingerichtet sein? Es gibt kein *Muss*. Wir müssen vielmehr das untersuchen, was *ist*. Die Freiheit Gottes wurde eine fundamentale Voraussetzung für die Art, wie Christen Wissenschaft betrieben.

Eine zweite biblische Grundeinsicht ist, dass die Welt begreifbar ist – und zwar begreifbar durch uns kleine Menschen. Wissenschaftsphilosophen drücken das etwas technischer aus; sie reden von der »Intelligibilität« des Universums, aber was sie meinen, ist, dass wir herausfinden und verstehen können, wie das Universum funktioniert. Es gibt gewisse Gesetzmäßigkeiten in der Art, wie die Welt funktioniert, und diese Gesetzmäßigkeiten sind zuverlässig; sie gelten heute noch genauso wie zur Zeit der Dinosaurier, und sie gelten auf der Erde genauso wie auf dem Jupiter. Das Universum ist nicht chaotisch, sondern geordnet, und mehr noch: Die Menschen sind in der Lage, diese Ordnung zu *verstehen*.

Sie sind erstaunlich, diese beiden Wahrheiten – die Freiheit Gottes und die Verstehbarkeit der Welt. Für den Astrophysiker Neil deGrasse Tyson ist es ein Wunder, dass »das, was in dem gerade mal drei Pfund schweren menschlichen Gehirn vorgeht, uns in den Stand gesetzt hat, unseren Platz im Universum zu erkennen«[93]. Wir stehen vor einem fantastischen Wechselspiel zwischen dem Universum und dem menschlichen Gehirn. Unsere Gehirne sind ein absolut winziger Teil des physischen Universums, der aber bis zu einem gewissen Grad in der Lage ist, das große Ganze zu begreifen. Kaum zu glauben, aber wahr: Wir können aus dem Universum schlau werden. Albert Einstein fand dies so staunenswert, dass er es ein Wunder nannte: »Das ewig Unbegreifliche an der Welt ist ihre Begreiflichkeit. ... In diesem Sinne ist die Welt unserer Sinneserlebnisse begreifbar, und dass sie es ist, ist ein Wunder.«[94]

Dieses Wunder ist die absolute Grundvoraussetzung für jede Wissenschaft. Aber warum ist die Welt so? Und warum hat unser Gehirn dieses Privileg? Dies sind Fragen, deren Beantwortung einen Atheisten ins Schwitzen bringt. Wenn unsere Gehirne bloße Maschinen sind, die uns helfen zu überleben, können wir kaum erwarten, dass sie uns bei der Wahrheitssuche hilfreich sind. Aber wenn wir das erste Kapitel der Bibel lesen, finden wir genau die Art Welt und die Art menschliche Fähigkeiten, die für so etwas wie Wissenschaft notwendig sind.

Auf der ersten Seite der Bibel begegnen wir einem ordnenden Gott, der eine geordnete Welt erschaffen hat, in welcher er die Menschen genau an die Schnittstelle zwischen Himmel und Erde gestellt hat. Der Mensch ist »im Bild Gottes« erschaffen und soll über die Erde »herrschen« (1Mo 1,26-27). Wenn ich die Bibel außen vor lasse, ist die Tatsache, dass ganze drei Pfund Gehirnmasse die Geheimnisse des Kosmos ergründen können, ein unerklärbares Wunder. Für einen Atheisten ist es ein Wunder ohne einen Urheber. Aber wenn wir das erste Kapitel der Bibel zur Hand nehmen, ergibt das Wunder auf einmal Sinn, und die Fundamente der Wissenschaft sind gelegt.

Das 1. Kapitel des 1. Buches Mose lehrt also, dass Gott frei ist und dass wir die Welt erkennen können. Aber das könnte einen falschen Eindruck vermitteln. Ist die Menschheit in ihrer Art, den Kosmos zu begreifen, also Gott gleich?

Wer so denkt, für den ist 1. Mose 3 eine eiskalte Realitätsdusche. Dieses Kapitel erzählt nämlich vom Sündenfall der ersten Menschen. Adam und Eva sind Gottes Stimme ungehorsam, und die Welt gerät aus den Fugen. Dieser Ungehorsam widerspricht eben jener Rationalität, die die Welt geschaffen hat, und die Folgen betreffen alles an unserem Menschsein, auch *unsere* rationalen Fähigkeiten. Gleich nach dem Sündenfall fangen Adam und Eva an, Dinge zu tun, die schlicht dumm sind: Sie versuchen, sich vor Gott zu verstecken (ein lächerliches Vorhaben), sie bedecken ihre Nacktheit mit Feigenblättern (eine lächerliche Bekleidung) und ihr schlechtes Gewissen mit Ausreden (eine lächerliche Selbstrechtfertigung). Doch ihr Verhalten ist nicht einfach nur lächerlich, es ist für uns sofort nachvollziehbar. Wir alle haben ein kompliziertes Verhältnis zur Wahrheit. Der Dichter T. S. Eliot hat einmal gesagt: »Die Menschen können nicht sehr viel Realität ertragen.« Wir wissen genau, dass wir Wahrheitssucher sein sollten, aber so oft verstecken wir uns vor unbequemen Wahrheiten, und statt uns unseren Fehlern zu stellen, beschönigen wir sie.

Und damit stehen wir vor der dritten Grundwahrheit: Wenn wir Wissenschaft betreiben wollen, müssen wir diese unsere menschliche Fehlbarkeit berücksichtigen. Das ist der Grund, warum die moderne wissenschaftliche Methode so ist, wie sie ist. Der Psychologe Steven Pinker klärt uns auf:

> Mit den für sie [die Naturwissenschaft] charakteristischen Verfahren, unter anderem offene Diskussion, Peer-Review und Doppelblindstudien, sollen die Sünden vermieden werden, denen Wissenschaftler, da sie Menschen sind, so leicht erliegen. [Der Physiker] Richard Feynman hat das oberste Prinzip der Wissenschaft so formuliert: »Du darfst dich nicht selbst in die Irre führen – und du bist die Person, bei der das am leichtesten gelingt.«[95]

Dies sind also die drei Grundwahrheiten, die wir dem biblischen Schöpfungsbericht entnehmen können: die Freiheit Gottes, die Verstehbarkeit der Welt und die Fehlbarkeit des Menschen. Vertiefen Sie sich in diese Wahrheiten (wie die Christen das gemacht haben, vor allem im Mittelalter), und das Ergebnis ist die Evolution der Wissenschaft – eine wissenschaftliche Entwicklungsgeschichte. Schauen wir uns an, wie dies im Mittelalter aussah.

Auf den Schultern von Riesen

Das wohl bekannteste und am leichtesten zugängliche Buch von Aurelius Augustinus, seine *Bekenntnisse* (um 400 n. Chr.), ist in der Form eines langen Gebetes geschrieben. Doch selbst in einem Gebet kann der nordafrikanische Bischof es nicht lassen, auf ein Thema zu sprechen zu kommen, das auch seine übrigen Schriften durchzieht: die Freiheit Gottes.

> Du [Gott] warst, und sonst nichts,
> und aus nichts schufst du Himmel und Erde …[96]

Die Erschaffung des Universums »aus nichts«, ein zentrales Thema in Augustinus' Denken, hat die christliche Theologie zutiefst geprägt. Sie stand in krassem Gegensatz zur Lehre des Aristoteles, dass die Welt schon immer existiert habe. Und wenn Aristoteles *hier* falsch lag, wo mochte er dann noch falsch liegen? Es waren Christen, die sich durchaus dabei wohlfühlten, die klassischen Philosophen zu hinterfragen.

Da gab es z. B. im Byzantinischen Reich einen Gelehrten namens Johannes Philoponos (ca. 490–570 n. Chr.), der eine weitere von Aristoteles' Grundannahmen erschütterte: dass, um etwas zu bewegen, eine direkte und kontinuierliche äußere Kraft erforderlich sei. Für Aristoteles bewegten sich Objekte (wie die Planeten) nur deswegen, weil sie unmittelbar durch einen Beweger angestoßen wurden. Er und seine Zeitgenossen schlossen daraus, dass die Sterne und Planeten permanent durch spirituelle Kräfte vorwärtsbewegt wurden. Oder waren sie gar selbst spirituelle Kräfte?

Doch diese Grundannahmen von Aristoteles und seinen Kollegen ließen sich leicht widerlegen, sobald man ein paar Experimente machte. Jeder, der schon einmal Darts gespielt hat, weiß, dass sich ein Gegenstand sehr wohl bewegen kann, ohne dass eine äußere Kraft ihn *permanent* antreiben muss – es sei denn natürlich, Sie werfen den Pfeil nicht, sondern marschieren mit ihm zur Zielscheibe und stecken ihn direkt ins Schwarze, aber das gilt als unelegant. Für Aristoteles waren die Planeten so ähnlich wie die Pfeile in der Hand so eines schummelnden Darts-Spielers. Johannes Philoponos dagegen wusste aus Erfahrung, dass man einen Gegenstand nicht immer dauernd anstoßen muss; manchmal kann man ihn auch werfen, worauf er sich auf diese »Initialzündung« hin von alleine weiterbewegt. Und wenn das so ist, dann sind die Sterne und die Planeten vielleicht auch irgendwann in Bewegung gesetzt worden und kreisen jetzt durch den Himmel, ohne dass etwas sie permanent antreiben muss. Aber das Problem für Philoponos war, warum die Sterne und Planeten ohne einen ständigen äußeren Antrieb nicht im Laufe der Zeit durch die Reibung langsamer wurden und schließlich ganz stehen blieben.

Spulen wir vor in die Zeit der ersten Universitäten, und die »Naturphilosophen« treten auf die Bühne – Gelehrte, die über die natürliche Welt nachdachten. Es wäre ein Anachronismus, sie »Naturwissenschaftler« zu nennen, aber ohne sie hätte die moderne Naturwissenschaft kaum entstehen können. Das fand zumindest der englische Mathematiker und Philosoph Alfred North Whitehead (1861–1947). Whitehead war kein Christ, aber davon überzeugt, dass die Naturwissenschaft in einem christlichen Kontext entstanden war; »der Glaube an die Möglichkeit der Wissenschaft« war für ihn »eine unbewusste Ableitung aus der mittelalterlichen Theologie«[97].

Ein zentraler Grundsatz der Philosophen des Mittelalters war der Glaube an »die beiden Bücher«: das Buch Gottes (die Bibel) und das Buch der Natur (das Universum). Nur mit ihnen konnte man die Welt begreifen. Wir studieren die Bibel, um Gott zu erkennen, und wir studieren die Natur, um seine Werke zu erkennen. Beides war wichtig, und beides betrieb man mit Energie und Ehrfurcht. Ein solcher Philosoph war Wilhelm von Ockham (1285–1347), der an der Universität Oxford einigen der Fragen des Philoponos nachging. Er vertrat (nicht als Erster) die Idee, dass der Raum ein von Reibung freies Vakuum ist und dass es möglich ist, einen Gegenstand mit einem einmaligen Impuls vorwärtszutreiben (ein Vorläufer von Newtons erstem Bewegungsgesetz).

Dann kam Nikolaus von Oresme (ca. 1325–1382) von der Universität Paris, der die Theorie einführte, dass sich die Erde um ihre Achse dreht. Was viele Fragen aufwarf; es fühlt sich definitiv nicht so an, als würde sich die Erde mit einer Riesengeschwindigkeit um sich selbst drehen! Aber die Beantwortung von kritischen Fragen gehörte zum Universitätsleben dazu, wie es sich im Mittelalter gerade entwickelte. Die Universitätsfakultäten wetteiferten um die besten Gelehrten, was bedeutete, dass das intellektuelle Leben undenkbar war ohne solides Argumentieren. Alle wussten, wie fehlbar Menschen sind, und das beste Gegenmittel gegen Fehler war die offene Debatte. Es dauerte nicht lange, und Nikolas von Kues (1401–1464) von der Universität Padua konnte viele der Einwände gegen von Oresmes Entdeckung entkräften.

Und Anfang des 16. Jahrhunderts schließlich stellte Nikolaus Kopernikus (1473–1543) von der Universität Padua die Sonne (und nicht mehr die Erde) in die Mitte des Universums. Job erledigt!

Oder auch nicht. Das kopernikanische System war nicht besser in der Vorhersage astronomischer Ereignisse als das ptolemäische, und es enthielt fast genauso viel Komplexität und Ungereimtheiten. Kopernikus' Problem war, dass er, wie vor ihm Aristoteles, von kreisförmigen Planetenumlaufbahnen ausging. Folglich musste er, gerade so wie Ptolemäus, zahlreiche kleine »Schleifen« in den Umlaufbahnen erfinden (die sich nirgends beobachten ließen). Wie ein moderner Historiker kommentierte: »Und so ist in Kopernikus' berühmter Schrift *Über die Kreisbewegungen der Himmelskörper* bis auf die Positionierung der Sonne in der Mitte so ziemlich alles falsch.«[98] Was das betraf, was man beobachten konnte, sprachen die Fakten nicht für Kopernikus (und auch nicht für Galilei, der Kopernikus' Position übernahm). Doch, im Prinzip hatten sie recht, die heliozentrischen Astronomen, aber der »wissenschaftliche Konsens« war gegen sie.

Erst Johannes Kepler (1571–1630) erkannte, dass die Umlaufbahnen in Wirklichkeit elliptisch waren, und es brauchte Isaac Newton (1643–1727) und seine Theorie der Schwerkraft, um zu erklären, *warum* sich die Himmelskörper so bewegen, wie sie es tun – warum sie z. B. auf Umlaufbahnen kreisen und nicht einfach auf Nimmerwiedersehen im All verschwinden. Erst jetzt gab es ein kohärentes astronomisches und physikalisches System, das mit den Beobachtungen übereinstimmte und schlüssige Vorhersagen treffen konnte. Doch all dies geschah nicht durch ein einziges Aha-Erlebnis. Wie Newton so schön sagte: »Wenn ich weiter gesehen habe als andere, dann deswegen, weil ich auf den Schultern von Riesen stand.«[99] (Der Satz wurde passenderweise im Mittelalter geprägt.)

In den letzten beiden Kapiteln sahen wir, dass es nicht einfach nach 1000 Jahren Dunkelheit plötzlich hieß: »Es werde Licht.« Es gab keine plötzliche Blütenbildung nach der Sandwüste des Mittelalters. Die wissenschaftliche Revolution war in Wirklichkeit eine Evolution. Der berühmte Wissenschaftshistoriker I. Bernard Cohen kommentiert: »Die Vorstellung einer kopernikanischen Revolution in der Wissenschaft entspricht nicht den Fakten ... und ist eine Erfindung späterer Historiker.«[100] So wie das christliche Mittelalter uns Menschenrechte, Universitäten, Parlamente und manches mehr gab, bahnte es auch den Weg für die moderne Wissenschaft. Die »Konflikt-These« über das Verhältnis zwischen Glauben und Wissenschaft ist einfach nicht stichhaltig, wenn man die Beweise untersucht.

Aber wie war das mit dem Fall Galilei?

An diesem Punkt ziehen die Verfechter der »Konflikt-These« ihre Trumpfkarte: Galileo Galilei.

1564 in Pisa geboren und Student der dortigen Universität, wurde Galilei der größte Physiker, den die Welt bis dahin gesehen hatte, der Erfinder des bisher besten Teleskops und, in den Augen der römisch-katholischen Kirche, ein Häretiker. Wenn Sie einen Krimi über den Kampf zwischen Religion und Wissenschaft schreiben möchten, ist Galilei der ideale

Held. Er wurde verurteilt, weil er das »Verbrechen« begangen hatte, der Wissenschaft zu folgen und die Dogmen der Kirche infrage zu stellen. Der Fall Galilei scheint völlig klar zu sein – oder vielleicht doch nicht? Schauen wir uns an, ob wir die Fakten korrekt recherchiert haben.

Als Galilei sich für das kopernikanische Modell entschied, hatte er sowohl die Daten als auch den Konsens der Wissenschaftler gegen sich. Dies wurde zu einem Problem, als im Jahr 1616 die Kirche Partei in dem Streit ergriff und das heliozentrische Modell für häretisch erklärte, nachdem sie die damals größten Autoritäten der Astronomie konsultiert hatte. Was ohne jeden Zweifel ein geradezu krimineller Verstoß gegen das Prinzip der Forschungsfreiheit war, welches Wissenschaft erst möglich macht. Hier sehen wir die Negativseite des wissenschaftlichen Engagements der Kirche. In den Jahrhunderten vor und nach 1616 war die Kirche der weltgrößte Förderer der Astronomie, aber die Entscheidung, die sie in diesem Jahr traf, war definitiv falsch, und heute wissen wir natürlich längst, dass sie damals auf das falsche Pferd setzte.

Man beachte aber bitte, dass die Kirche hier nicht Partei für die Bibel und gegen die Wissenschaft ergriff, sondern für die Mehrheit der damaligen Wissenschaftler und gegen eine wissenschaftliche Minderheit. Was die Bibel betraf, so war die Kirche prinzipiell bereit, ihre Auslegung zu ändern, wenn unwiderlegbare neue Fakten dies erforderten. Beide Seiten in dem Streit zitierten Augustinus, der über 1000 Jahre zuvor gelehrt hatte, dass die Auslegung der Bibel nicht im Gegensatz zu gesicherten Ergebnissen der Erforschung der Natur stehen könne und dürfe. Aber die Kirche behauptete (und die meisten Astronomen pflichteten ihr bei), dass das kopernikanische Weltbild alles andere als gesichert sei.

Man ist leicht versucht, die Affäre Galilei als Auseinandersetzung zwischen den aufgeklärten Kräften der Wissenschaft und den finsteren Mächtigen der Kirche darzustellen, aber in Wirklichkeit war das Bild wesentlich komplexer. Der Wissenschaftshistoriker Maurice Finocchiaro klärt uns auf: »Dies war kein Kampf zwischen zwei monolithischen Systemen – hier die Kirche, dort die Wissenschaft –, sondern der Konflikt bestand zwischen zwei Denkweisen, die sich quer durch beide Lager hindurchzogen.«[101] Sowohl in der Kirche als auch bei den Wissenschaftlern gab es »Konservative« und »Progressive«. Galilei ist zum Inbegriff des mutigen Pioniers geworden, der unerschrocken für »die Wissenschaft« kämpft, aber »*die* Wissenschaft« gab es schlicht so nicht, und die Daten und der Konsens der Wissenschaftler wiesen damals in die andere Richtung.

Als ein Freund von ihm Papst wurde, sah Galilei eine Chance, seiner Position Gehör zu verschaffen. Er bat Papst Urban VIII. um die Erlaubnis, ein Buch zu schreiben, das die beiden Modelle des Sonnensystems Punkt für Punkt verglich. Der Papst gewährte dies, nur um es sehr schnell zu bereuen, als Galilei 1632 seinen berühmt gewordenen Dialog zwischen dem heliozentrischen und dem geozentrischen Weltbild veröffentlichte. Der Vertreter des Geozentrismus hieß Simplicio (auf Deutsch: »Einfaltspinsel«), und Galilei scheute sich nicht, ihm die Worte des Papstes in den Mund zu legen. Bühne frei für einen »idiotischen… Konflikt zwischen zwei Egomanen der Sonderklasse«.[102] Zur Schande der Kirche zog man Galilei 1633 vor Gericht. Der Prozess entbehrte nicht der Ironie, denn in diesem berühmten »Prozess der Religion gegen die Wissenschaft« war es die Kirche, die Beweise verlangte, und Galilei, der blinden Glauben einforderte – den Glauben an ein Modell, das auch nicht richtig war.[103] Galileo wurde in dem Prozess für »dringend der Ketzerei verdächtig« befunden und verbrachte den Rest seiner Tage unter Hausarrest.

Es waren Protestanten – wie der Vater der modernen Chemie, Robert Boyle (1627–1691), und der Dichter John Milton (1608–1674) –, die in der Affäre Galilei als Erste den Inbegriff römisch-katholischer Verbohrtheit sahen. Ein wegweisender Denker, der von einem Ignoranten auf dem Papstthron ausgeschaltet wurde – die Parallelen zu Luther waren für sie nicht zu übersehen … Aber als diejenigen, die wie David Bentley Hart nicht nur an einer Punktevergabe »Protestanten gegen Katholiken« interessiert sind, sollten wir hier den Wald vor lauter Bäumen nicht übersehen. Wer nur die Affäre Galilei sieht, übersieht

> die hoch signifikante Realität, dass im 16. und 17. Jahrhundert christliche Wissenschaftler, die an christlichen Universitäten studiert hatten und einer christlichen Tradition des wissenschaftlichen und mathematischen Denkens folgten, mit einer heidnischen Kosmologie und Physik brachen und zu Ergebnissen kamen, die in der [antiken] wissenschaftlichen Tradition undenkbar gewesen wären.[104]

Was auch immer wir sonst noch von den Beispielen eines Kopernikus, Galilei, Kepler oder Newton lernen, so viel sollte klar sein: Die moderne Wissenschaft wurde in einer christlichen Epoche unter gläubigen Christen geboren, die sich explizit auf christliche Glaubensvorstellungen und Praktiken stützten. Hören wir, was sie selbst über den Glauben und die Wissenschaft zu sagen haben.

Das Wunder der Wissenschaft

> Kopernikus: »*Die großen Werke Gottes erkennen, das wunderbare Walten seiner Gesetze … verstehen – was kann dies anders sein als eine Anbetung des Höchsten, die diesem wohlgefällig ist?*«[105]
>
> Galilei: »*Die Herrlichkeit und die Größe des allmächtigen Gottes zeigen sich wunderbar in allen seinen Werken.*«[106]
>
> Kepler: »*Die Geometrie ist einzig und ewig, ein Abglanz von Gottes Geist. Dass Menschen imstande sind, an ihr teilzuhaben, ist einer der Gründe, warum der Mensch Gottes Ebenbild ist.*«[107]
>
> Newton: »*Dieses so überaus schöne System der Sonne, der Planeten und Kometen kann nur aus dem Ratschluss und der Herrschaft eines intelligenten und mächtigen höchsten Wesens hervorgegangen sein.*«[108]

Die moderne Wissenschaft entwickelte sich unter Menschen, die bestimmte Dinge glaubten. Vor allem glaubten sie, dass Wissenschaft möglich war. Sie glaubten an das, was Einstein viel später das Wunder der Verstehbarkeit nannte – das Unerhörte, dass unser kleines menschliches Gehirn fähig ist, die Geheimnisse des Kosmos zu ergründen. Sie glaubten an dieses Wunder, weil sie glaubten, dass die Menschen als Ebenbilder Gottes erschaffen worden waren. Aber vielleicht noch faszinierender als dieser Glaube war die Tatsache, dass er ja belohnt wurde. Ja, es ist möglich, die Welt auf diese Art zu untersuchen; ja, unsere menschlichen Gehirne sind dazu in der Lage. Dies musste nicht so sein. Aber die Welt erwies sich als die Art von Ort, für die Kopernikus und Co. sie hielten. Ja, mehr noch: Es zeigte sich, dass die Menschen tatsächlich die Art von Wesen waren, für die diese Christen sie hielten. Seit Kopernikus haben wir fünf Jahrhunderte der erstaunlichsten Fortschritte in der Wissenschaft erlebt, die in diesen Annahmen gründeten. Wir stehen auf einem grundsoliden Fundament.

Viele der heutigen Wissenschaftler sind natürlich keine Christen, manche sind sogar dezidiert gegen das Christentum eingestellt. Aber alle sind sie auf Einsteins Wunder angewiesen. Vielen missfällt es, wenn man von »Wundern« redet, und sie betonen, dass ihr Glaube an die Wissenschaft nicht religiös, sondern rein pragmatisch begründet ist: Die Wissenschaft liefert Ergebnisse. Sie sagen, dass fünf Jahrhunderte wissenschaftliche Fortschritte das doch wohl bewiesen. Sie glauben der Wissenschaft, weil sie funktioniert. Und das stimmt ja, sie funktioniert tatsächlich. Aber wir müssen doch die Frage stellen, *warum* sie funktioniert. Und mit jeder neuen Entdeckung, die die Wissenschaft macht, sollte unser Glaube an Einsteins Wunder größer werden (und die Neugierde darüber, warum es dieses Wunder überhaupt gibt). Man könnte die ganze Wissenschaft geradezu als ein gigantisches Experiment zum Testen von Einsteins Wunder-Hypothese betrachten – und je weiter die Wissenschaft voranschreitet, umso plausibler wird diese Hypothese.

Immer mehr Licht

Thomas Jefferson hat ein eindringliches Bild gemalt: Aufklärung gegen die Geistlichkeit. Wir alle lieben solche Konfliktszenen, in denen das Licht der Vernunft die Dämonen der Religion mutig verjagt. Die Faszination solcher Geschichte ist stärker als alle Fakten, die gegen sie sprechen. Es spielt keine Rolle, wie weit ihre Erzähler historisch danebenliegen. Es ist egal, wie gläubig und theologisch motiviert die Väter der modernen Wissenschaft waren. Es ist egal, als wie geeignet sich ihr Weltbild bei der Erforschung der Natur bewährt hat, wie viel die Kirchen in das Projekt Wissenschaft investiert haben oder wie viele der heutigen Wissenschaftler an Gott glauben. All diese Fakten, sie zählen nicht; die alte Geschichte vom Kampf des Lichtes der Wissenschaft gegen die finsteren Schatten der Religion, sie ist nicht kaputt zu kriegen. Woran liegt das?

Vielleicht lieben wir diese Geschichte deshalb so, weil sie eine Variante der *großen* Geschichte ist – der Geschichte, die unser Weltbild geformt hat. Jesus Christus kam und nannte sich das Licht. Er ist das Licht, das uns aus der Finsternis herausführt (Joh 8,12), und er ist die Wahrheit, die uns frei macht (Joh 8,32). Aber die Priester waren gegen ihn. Die jüdischen Leiter seiner Zeit brachten ihn ans Kreuz, wo das Licht ausgelöscht und die Wahrheit zum Schweigen gebracht wurde; das ist eine Neigung der religiösen Macht.

Aber dann siegte das Licht, die Wahrheit erstand von den Toten auf, und Freiheit und neues Leben breiteten sich in der Welt aus. Dies ist die große Geschichte, von der andere Geschichten nur ein kleines Echo sind: Martin Luther, der das Licht ins Dunkel der Priesterkirche brachte; Galilei, der einem einfältigen Papst die Wahrheit verkündete.

Als Jefferson die Geschichte erzählte, war sie schon etliche Male umgeschrieben worden. Jetzt war das Christentum mit allem, was dazugehörte, der Erzfeind der Wissenschaft, der hilflos zuschaute, wie der weiße Reiter des Fortschritts herbeigaloppiert kam. Dies sind mächtige Stereotypen, die unsere vom christlichen Glauben geprägte Vorstellungswelt nur zu leicht ansprechen; das Problem ist, sie mit den historischen Fakten in Übereinstimmung zu bringen. Der Versuch, »die Wissenschaft« zum großen Helden des Dramas zu machen, erfordert so viel Fälschung, Beschönigen und kreatives Zurechtbiegen, dass die Fakten auf der Strecke bleiben. Die Geschichte vom großen Kampf zwischen Wissenschaft und Religion entpuppt sich als Legende; sobald wir die Fakten prüfen, merken wir, dass die Wissenschaft ein Kind des Christentums ist, das in einem christlichen Kontext aus christlichen Motiven heraus geboren wurde. Und je weiter die Wissenschaft voranschreitet, desto stärker wird dieses christliche Element bestätigt, nicht widerlegt. Das Licht der Wissenschaft treibt den christlichen Glauben nicht aus. Ganz im Gegenteil: Christliche Überzeugungen haben von Anfang an die helle Fackel der Wissenschaft hochgehalten – egal, ob man diese nun anerkannt hat oder nicht.

7

Freiheit

»Ein Sklavenhändler als Statue im England des 21. Jahrhunderts – das geht einfach nicht.«

(Sir Keir Starmer, 2020)

Der Führer der britischen *Labour Party* sagte, was viele dachten. Es war im Juni 2020, und nach dem Tod von George Floyd war es überall auf der Welt zu Anti-Rassismus-Protesten gekommen. In Bristol (England) stürzten Demonstranten die Statue von Edward Colston um, die 125 Jahre lang die Stadt geziert hatte. Keir Starmer wäre es lieber gewesen, man hätte sie in einem demokratischen Verfahren entfernt, aber weg musste sie, schließlich befand man sich im Großbritannien des 21. Jahrhunderts.

Edward Colston (1636–1721) war ein erfolgreicher Kaufmann gewesen, ein großzügiger Wohltäter, bekennender Christ und Mitglied der *Royal Africa Company,* die unverschämte Profite mit der Verschiffung afrikanischer Sklaven nach Nord- und Südamerika gemacht hatte. Man schätzt, dass in den zwölf Jahren, die Colston mit der *Royal Africa Company* verbunden war, 84 000 schwarzafrikanische

Männer, Frauen und Kinder als Sklaven über den Atlantik gebracht wurden, um sich auf Tabak- und Zuckerplantagen buchstäblich zu Tode zu schuften.

Dies war nur ein kleiner Teil des Sklavenhandels über den Atlantik, bei dem vom 16. bis zum 19. Jahrhundert über zwölf Millionen Afrikaner versklavt, gekauft, verkauft, verschifft und anschließend rücksichtlos ausgebeutet wurden, durch Eigentümer, die meistens weiß und Christen waren. Im Großbritannien des 21. Jahrhunderts (und ganz besonders im Juni 2020) hätte keiner der an diesem Verbrechen Beteiligten eine Chance.

Aber jahrhundertelang hatte der Sklavenhandel in der britischen Gesellschaft nicht nur eine Chance, er war sogar salonfähig und florierte. Der Handel mit Menschen trug einen nicht geringen Teil zum Wachstum und Reichtum des British Empire bei, und – grausame Ironie – er finanzierte große Wohltätigkeitsprojekte. 1721 verstarb Colston als »der große Wohltäter der Stadt Bristol«, nachdem er umgerechnet 5,5 Millionen Pfund für wohltätige Projekte gespendet hatte.[109] Für seine Zeitgenossen war er ein guter, ja, großer Mann. 299 Jahre später musste man seine Statue aus dem Hafenbecken herausfischen, und seine Stiftungen haben entweder den Namen geändert oder sich aufgelöst. Nach drei Jahrhunderten wird ein Mann wie Edward Colston nicht mehr verehrt, sondern verachtet. Dieses Kapitel untersucht, wie und warum es dazu kam.

Ein säkulares Credo

> Wir halten diese Wahrheiten für ausgemacht, dass alle Menschen gleich erschaffen worden, dass sie

> von ihrem Schöpfer mit gewissen unveräußerlichen Rechten begabt worden, worunter sind Leben, Freiheit und das Bestreben nach Glückseligkeit. (Unabhängigkeitserklärung der USA, 1776)[110]

Diese Worte sind für die amerikanische Republik so etwas wie ein säkulares Glaubensbekenntnis geworden.[111] Seit über 200 Jahren schwören die US-Präsidenten sich und ihr Volk auf diese »ausgemachten Wahrheiten« ein. Thomas Jefferson, der Hauptverfasser der Unabhängigkeitserklärung, ist Ihnen vielleicht noch aus dem letzten Kapitel im Ohr. Er war der Mann mit den Priestern, die vor dem wissenschaftlichen Fortschritt fliehen wie die Hexen vor dem Anbruch des Tages. Nun, er wurde der dritte Präsident der USA und der Besitzer von 600 Sklaven. Was uns die Tatsache vor Augen führt, dass (egal, ob es um religiöse oder säkulare Bekenntnisse geht) eine Wahrheit, die man predigt, nicht immer auch eine ist, die man praktiziert. Der Wortlaut solcher Bekenntnisse ist manchmal wesentlich überzeugender als ihre Verfasser.

Im Jahr 1858 zitierte Abraham Lincoln die »majestätische Deutung der Ordnung des Universums« in der Unabhängigkeitserklärung und wandte sie ohne Umschweife auf das Problem der Sklaverei an: »Niemand, der den Stempel der Gottesebenbildlichkeit trägt, ist in die Welt hinausgeschickt worden, um dort von seinen Mitmenschen in den Dreck getreten, entwürdigt und wie ein Tier behandelt zu werden.«[112] Ein Jahrhundert später nannte Martin Luther King Jr. den Satz aus der Unabhängigkeitserklärung einen »Schuldschein« für die Bürger Amerikas – einen Schuldschein, dessen Einlösung immer noch offenstand. Wir sehen also: Bei der Gründung der USA im 18. Jahrhundert, während des Kampfes gegen die Sklaverei im 19. Jahrhundert und schließlich in der Bürgerrechtsbewegung des 20. Jahrhunderts haben die Führer der USA diese Worte zitiert, als stünden sie in der Bibel. Lincoln und King argumentierten in ihren Reden regelmäßig mit der Unabhängigkeitserklärung *und* mit der Bibel, denn ehrlich gesagt: Ohne ihr biblisches Fundament klingen Jeffersons Worte geradezu absurd.

Die Vorstellung, dass Menschenrechte und Gleichheit etwas sind, das »ausgemacht« und »selbstverständlich« ist, ist vorsichtig gesagt kühn. Selbstverständliche Wahrheiten sind Aussagen wie: »Alle Dreiecke haben drei Seiten« und »Alle Junggesellen sind unverheiratet«. Das sieht jeder ein. Aber ohne ein biblisches Fundament ist noch niemand in der Weltgeschichte – einschließlich der größten Denker und Sittenlehrer – auf so etwas wie Menschenrechte gekommen. Niemand schrieb den Menschen Würde und Wert zu, *nur weil sie biologisch Menschen sind.* Das Studium der verschiedenen menschlichen Zivilisationen zeigt, dass das einzig Selbstverständliche an den Menschenrechten die Tatsache ist, dass sie nicht selbstverständlich sind.

Wenn wir etwas suchen, das allen Menschen gemeinsam ist, ist die Sklaverei ein sehr viel stärkerer Kandidat: »Alle bekannten Gesellschaften oberhalb des absoluten Primitiv-Niveaus waren Sklavengesellschaften.«[113] Die Sklaverei ist ein universales Phänomen. Aber Rechte? Sie sind etwas Seltsames – oder, in den Worten des Philosophen Jeremy Bentham (1748–1832), »Unsinn auf Stelzen«.[114]

Wie kam es dann, dass wir an diese magischen Eigenschaften glauben – als seien sie naturgegeben und selbstverständlich? Um nochmals Yuval Noah Harari zu zitieren:

> Die Verfassungsväter der Vereinigten Staaten nahmen die Vorstellung der Gleichheit aus der christlichen Bibel, die behauptet, alle Menschen besäßen eine von Gott geschaffene Seele und alle Seelen seien vor Gott gleich. Wenn wir aber nicht an die christlichen Mythen über Gott, die Schöpfung und die Seele glauben, was bedeutet es dann, dass alle Menschen »gleich« sind?[115]

Ohne dieses spezifisch christliche Erbe bedeutet »Gleichheit« recht wenig.

Wie können wir dann die Unabhängigkeitserklärung der USA ernst nehmen? Mir scheint, dass jener Schlüsselsatz aus ihr nur dann glaubwürdig zitiert werden kann, wenn wir die ganze Betonung auf das erste Wort legen: »*Wir* halten diese Wahrheiten für ausgemacht …« *Wir* wollen auf diesem einzigartigen Fundament stehen. Millionen Menschen wollten das nicht, aber *wir* wollen es. Diese Wahrheiten sind *für uns* das moralische Äquivalent zu einem Satz wie »Dreiecke haben drei Seiten«.

All dies ist ein völlig legitimer Glaube (und in den USA hat dieser Glaube fast ein Vierteljahrtausend lang gute Dienste geleistet), aber manchmal muss man sich die Fundamente einer Glaubensposition genauer anschauen. Wenn wir das tun, erkennen wir das, was Tom Holland so formuliert:

> Dass alle Menschen gleich geschaffen und mit einem unveräußerlichen Recht auf Leben, Freiheit und Streben nach Glück begabt waren, diese Wahrheiten verstanden sich nicht einmal ansatzweise von selbst. Und dass die meisten Amerikaner an diese Wahrheiten glaubten, verdankte sich weniger der Philosophie als vielmehr der Bibel: der Zusicherung, die Christen und Juden, Protestanten und Katholiken, Calvinisten und Quäkern gleichermaßen galt, dass nämlich jedes menschliche Wesen nach Gottes Bild geschaffen war. Das eigentliche, ultimative Saatbeet der amerikanischen Republik – ganz gleichgültig, was einige der Männer, die ihre Gründungsdokumente formulierten, womöglich denken mochten – war das Buch Genesis.[116]

Wir können die »Aufklärungswerte« der Unabhängigkeitserklärung dann ernst nehmen, wenn uns klar ist, dass diese Werte letztlich aus der Bibel stammen. Ohne die Verankerung in der Bibel sind solche Überzeugungen ein bloßes Luftschloss. Schön, es ist ein großes Schloss; mittlerweile hat es Milliarden von Bewohnern, die allen möglichen Religionen angehören (manche gar keiner). (Man findet heute nur selten jemanden, der *nicht* an Menschenrechte und Gleichheit glaubt, und wenn man solch ein Exemplar findet, ist man schnell dabei, es von Facebook zu verbannen.)

Wie kommt es dann, dass dieses Schloss immer noch steht? Wie kommt es, dass so viele Menschen an Werte glauben, die letztlich biblisch sind, aber dass nur so wenige um diese biblische Quelle wissen? Sie glauben nicht etwa an diese Werte, weil sie selbstverständlich wären (das sind sie definitiv nicht), sondern weil sie das Ergebnis von bestimmten historischen Entwicklungen sind. Es ist ein bisschen wie bei der wissenschaftlichen Revolution bzw. Evolution. Im letzten Kapitel haben wir gesehen, dass die moderne Wissenschaft auf einem spezifisch christlichen Boden gewachsen ist, aber dass ihre Früchte von allen Menschen genossen werden. Auf dem Gebiet der Moral hatte die Abschaffung des Sklavenhandels ganz ähnliche Auswirkungen. Auch diese Abschaffung wuchs auf dem Boden christlicher Überzeugungen, die für uns heute universale Gültigkeit haben. Aber schauen wir uns die Wurzeln genauer an; es lohnt sich.

Im 18. und 19. Jahrhundert taten Christen, die von spezifisch christlichen Motiven angetrieben waren, etwas, was noch nie jemand gemacht hatte. Sie kämpften für die Abschaffung des Sklavenhandels, einer Praxis, die in der Geschichte allgegenwärtig war. Und das behaupten nicht bloß ein paar besonders eifrige Christen. Der große Chronist des transatlantischen Sklavenhandels David Brion Davis schrieb, dass »die Religion im Zentrum des Engagements aller britischen Abolitionisten stand«, dass es ohne die Religion »nicht zur Abschaffung der Sklaverei in der Neuen Welt gekommen wäre« und dass das Ganze »ein moralischer Fortschritt« war, »der seinesgleichen suchte«[117].

Der Abolitionismus war keine Bewegung der Aufklärung. Wie der frühere Erzbischof von Canterbury, Rowan Williams, einmal sagte: »Hätte man die Abschaffung der Sklaverei den aufgeklärten Säkularisten des 18. Jahrhunderts überlassen, wir würden heute noch auf sie warten.«[118] Aber der Erfolg dieser christlichen Bewegung war so umfassend, dass wir ihn heute für eine Selbstverständlichkeit halten. Heute wird bei uns jeder frei geboren. Die hart erkämpften politischen, juristischen und manchmal (wie im Fall des amerikanischen Bürgerkriegs) militärischen Siege haben dazu geführt, dass wir Freiheit als unser gutes Recht betrachten. Der Sieg von gestern ist zum Gemeinplatz von heute geworden, und wir können gar nicht verstehen, dass es Zeiten gab, in denen das Leben anders war.

Wir sind wie Kinder, die in dem Fotoalbum ihrer Eltern blättern und sich fragen: »Wie können solche Frisuren jemals modern gewesen sein?« Als Kinder der christlichen Revolution haben wir ernste Anfragen an unsere Eltern: »Wie konntet ihr das je zulassen?« Das ist das Thema unseres nächsten Abschnitts.

Aber ist das Christentum nicht für die Sklaverei?

Beim Thema »Christentum und Sklaverei« denken wir vielleicht an den tief religiösen Edward Colston oder irgendeinen Sklavenhalter im Süden der USA, der die Bibel parat hatte, um diese Praktiken zu verteidigen. Wir könnten aber auch an William Wilberforce (1759–1833) denken, den christlichen britischen Parlamentsabgeordneten, der die Abschaffung des Sklavenhandels zu seiner Lebensaufgabe machte. Aber vielleicht noch wichtiger für uns ist jemand wie Frederick Douglass (1817–1895).

In Maryland (USA) geboren, war Douglass die ersten 20 Jahre seines Lebens ein Sklave. Von seinen angeblich christlichen Besitzern wurde er ständig geschlagen. Es gelang ihm schließlich, zu fliehen, und er wurde ein berühmter Abolitionist, ein Freund von Abraham Lincoln und ein international bekannter Redner, Autor und *Prediger*. Die treibende Kraft hinter seinem Abolitionismus war sein christlicher Glaube. Hören wir ihn, wie er mit der Bibel in der Hand die Sklaverei anprangerte:

> Es kann genauso wenig ein Gesetz zur Versklavung des Menschen geben, der nach dem Bilde Gottes erschaffen ist, wie eines zur Versklavung Gottes selbst![119]

Worte eines vollmächtigen Predigers. Während Thomas Jefferson Menschen davon überzeugen konnte, dass sie die offensichtliche Wahrheit missachteten, machte Frederick Douglass den Sklavenhalter zu jemandem, der Gott selbst versklavt. Es war diese unverblümt religiöse Argumentation, die dem Abolitionismus zum Sieg verhalf. Aber man beachte den Prediger: Wie Millionen andere war Douglass ein ehemaliger Sklave, der die Religion seines Herrn übernommen hatte – aber nicht als Religion eines Zwangsbekehrten, sondern als Weg zu eigener Würde und Freiheit. Es kam zu Erweckungen, zuerst auf den Westindischen Inseln (im 18. Jahrhundert), dann in Amerika (um die Wende zum 19. Jahrhundert). Die Prediger waren teils Missionare aus Übersee, teils selbst ehemalige Sklaven. Die »Negro Spirituals«, die sie sangen, verkörperten ein Christentum, das sich mit Mose und Israel in Ägypten und mit dem Großen Leidenden Jesus Christus identifizierte: »Nobody knows the trouble I've seen, nobody knows but Jesus« (»Niemand kennt das Leid, das ich gesehn, niemand kennt es, nur Jesus«). Es waren Lieder, die dem Leid und der Klage eine Stimme gaben, aber auch der Hoffnung auf das

Land der Verheißung und auf den Tag, an dem der »sweet chariot«, der liebliche Himmelswagen, kommen würde, um uns nach Hause zu holen.

Es war eine Botschaft der Befreiung, und ihre Wirkung war bemerkenswert. Howard Thurman (1899–1981), der Martin Luther King stark beeinflusst hat, schrieb einmal:

> In einem faszinierenden und zutiefst kreativen Akt geistlicher Erkenntnis ging der Sklave daran, die Religion zu erlösen, die sein Herr vor seinen Augen entweiht hatte.[120]

Die Verachteten und Erniedrigten fanden in Christus eine Würde und eine Hoffnung, die ihnen ihre »christlichen« Sklavenhalter vorenthielten.

»Wenn die Sklaverei die Ursünde Amerikas ist«, schreibt Rebecca McLaughlin, »dann ist die Existenz der schwarzen Kirche vielleicht sein größtes Wunder.«[121] Nun, es ist ein Wunder, das aus dem Herzen des christlichen Glaubens kommt. Wie Maria, die Mutter Jesu, in ihrem »Magnificat« singt:

> Er hat Mächtige von Thronen hinabgestoßen
> und Niedrige erhöht.
> Hungrige hat er mit Gütern erfüllt
> und Reiche leer fortgeschickt.
> Er hat sich Israels, seines Knechtes, angenommen,
> um der Barmherzigkeit zu gedenken.
> (Lk 1,52-54)

Wenn Christen, die Sklaven waren, das Alte Testament lasen, fanden sie dort nicht die Rechtfertigung ihres Loses, wie ihre Herren vorgaben. (Das Alte und das Neue Testament verurteilen Menschenraub und Menschenhandel; vgl. 2Mo 21,16 und 1Tim 1,10 – Bibelstellen, die aller Sklaverei den Boden unter den Füßen wegziehen.) Stattdessen entdeckten sie Menschen, denen es ganz ähnlich ging wie ihnen selbst: ein Volk, das in Ägypten gefangen gehalten wurde, aber Gott an seiner Seite hatte, der seine Unterdrücker richtete und es aus Ägypten herausführte, hinein in ein Land, in dem Milch und Honig flossen. Es war das große Schlüsselereignis des Alten Testaments und das Grundmuster der Erlösung durch Jesus Christus im Neuen Testament.

Die Bibel erzählt die Geschichte von der Befreiung des »Knechtes Israel«. Auf die Sklaverei folgt die Freiheit. Das ist das große Bild. Aber auch die Details sind wichtig, auch wenn sie vor allem dem modernen Leser manchmal Kopfzerbrechen bereiten. Im Gesetz des Mose gab es auch die Praxis der Sklaverei. Es war nicht die Sklaverei des alten Roms oder späteren Amerikas, aber es liest sich auch definitiv nicht wie die Allgemeine Erklärung der Menschenrechte durch die Vereinten Nationen. Um diese Art der Sklaverei zu verstehen, muss man sie in ihrem Kontext betrachten. (Der Kontext ist auch der Schlüssel zum Verständnis des Alten Testaments allgemein.)

Die Sklaverei im alten Israel war eine Schuldsklaverei; wer seine Schulden nicht mehr bezahlen konnte, arbeitete sie als Sklave ab. Aber alle 50 Jahre gab es das sogenannte Erlassjahr (auch »Jubeljahr« genannt); in diesem Jahr waren alle israelitischen Sklaven freizulassen und alle Schulden zu erlassen. Nun, als Jesus seine erste Predigt hielt, rief er das endgültige Erlassjahr aus: »Er [der Herr] hat mich gesandt, Armen die gute Botschaft zu bringen und Gefangenen die Freiheit. … Ich soll verkünden ein Gnadenjahr des Herrn« (Lk 4,18-19; NeÜ). Aber um diese Befreiung möglich zu machen, musste Jesus sein Leben hingeben. Er wählte den Tod eines Sklaven, damit die, die Sklaven der Sünde waren (also wir alle), sein Leben der Freiheit bekamen. Der Schatten des Alten wurde vom Licht des Sieges Christi verschlungen. Am Ostermorgen wurden die Bande der Sünde und des Todes zerrissen, und der Weg ins »Land der Verheißung« frei.

Was war jetzt mit der Schuldsklaverei des Alten Testaments? Erinnern wir uns noch, was Jesus in Matthäus 19 zur Frage der Ehe und der Scheidung sagt? Er nennt das Gesetz des Mose eine Regelung, die nicht ideal ist, sondern der Herzenshärte der Israeliten Rechnung trägt. Aber Jesus ist gekommen, um das wiederherzustellen, was Gott ursprünglich wollte, als er die Erde und uns erschuf – und Gott will nicht, dass wir versklavt sind, sondern dass wir über die Erde herrschen.

So sah das Neue Testament und so sah die alte Kirche die Sklaverei. In Christus war die Sklaverei abgeschafft, auch wenn sie im Römischen Reich allgegenwärtig war. In der Gemeinde gab es nur Brüder und Schwestern im Herrn, aber in der Gesellschaft allgemein lebte das Übel fort, und die Christen sahen in ihm (wie in der Armut) ein hartnäckiges Merkmal der Welt nach dem Sündenfall, gegen das jedoch der einzelne Christ wie die ganze Gemeinde etwas tun konnte – z. B., indem man Sklaven freikaufte (und es kam vor, dass Tausende auf einmal freigekauft wurden). Aber eine Welt, in der die Sklaverei gar nicht existierte, die konnte sich kaum jemand vorstellen.

Im Jahr 379 ging Bischof Gregorios von Nyssa einen Schritt weiter: Er verurteilte die Sklaverei ohne Wenn und Aber und forderte ihre Abschaffung. Die Tatsache, dass Gregorios selbst unter den Christen als Radikaler galt, mag uns zeigen, wie tief verwurzelt die Sklaverei im Denken der Antike war. Wir bedauern es vielleicht, dass das Neue Testament keine Kapitel wie Gregorios' Frontalangriff gegen die Sklaverei enthält oder dass Gregorios' Zorn des Gerechten nicht zu einer politischen Reformbewegung führte. Aber egal, ob es um die Tötung von Neugeborenen ging oder die Gladiatorenkämpfe oder eben die Sklaverei, das Neue Testament ging einen anderen Weg der Veränderung. Jesus hatte gesagt, dass sein Reich wie ein winziges Samenkorn sei, das zu einer großen Pflanze heranwächst, oder wie Sauerteig, der den ganzen Teig durchsäuert (Mt 13,31-33). Wir wünschen uns, dass sofort alles anders wird; Jesus redet von einem langsamen, aber unaufhaltsamen Wachsen. Klar, das erste Szenario ist der Stoff, aus dem Bestseller gemacht sind; das zweite macht uns leicht ungeduldig. Aber Tatsache ist: Schon lange vor den öffentlichen Anti-Sklaverei-Kampagnen des 19. Jahrhunderts hatte die »langsame« Methode viel erreicht.

Nach dem Fall Roms im Jahr 410 begann der große Rückzug der Sklaverei aus den westlichen Gebieten des ehemaligen Römischen Reiches. Bald nach dem 9. Jahrhundert war die Sklaverei in Nordeuropa so gut wie verschwunden. Im 11. Jahrhundert existierte sie in Mittelitalien und

Frankreich nicht mehr. Um 1200 war sie in England weitgehend verschwunden[122] – die nächste überraschende Entwicklung, die das Mittelalter uns zu bieten hat.

Viele Faktoren waren an dieser Entwicklung beteiligt, unter anderem ökonomische und technologische Fortschritte sowie die verheerenden Pestepidemien, die keine Unterschiede zwischen den Gesellschaftsschichten machten. Aber da war auch der christliche Glaube, der sich allmählich auf die Gesetzgebung auswirkte. In der Kirche standen die Taufe, durch die man in den Leib Christi aufgenommen wurde, und das Abendmahl, mit dem man des Sühnetodes Christi gedachte, jedem offen – auch den Sklaven. Das aber bedeutete, dass es theologisch unmöglich war, denen, die zur selben geistlichen Familie gehörten, das volle Person-Sein abzusprechen. Im Laufe der Zeit wurden Gesetze erlassen, die die Versklavung von »Brüdern und Schwestern in Christus« untersagten, und zu der Gleichheit vor Gott kam eine zunehmende soziale Gleichheit. Schon einige Zeit vor der Renaissance war die Sklaverei aus den meisten Ländern Europas verschwunden – der nächste helle Lichtschein im angeblich so »finsteren« Mittelalter.

Doch nach 1492 brach das Böse mit der Kolonisierung Amerikas wieder hervor, erst durch die Spanier, dann durch die Portugiesen, Niederländer und Briten. Ihre Reiche erwiesen sich als ebenso so grausam wie die anderen Reiche der Geschichte, mit einem Unterschied: dem Namen, in welchem sie eroberten und herrschten. Die Geschichte hat Gräueltaten im Namen so ziemlich jedes Gottes und jeder Ideologie gesehen, doch besonders schmerzlich wird das Böse, wenn es im Namen von Jesus Christus geschieht. Tom

Holland hat das Problem der christlichen Imperialisten so beschrieben:

> In der Antike hätte kein einziges Volk je ein Reich erobern können, wenn es ihm an der Überzeugung gemangelt hätte, dass es ein Recht darauf hatte, Menschen abzuschlachten und die Besiegten zu versklaven; Christen konnten allerdings in ihrer Grausamkeit nicht so skrupellos unschuldig bleiben. Als Gelehrte in Europa sich um die Rechtfertigung der Eroberung der Neuen Welt durch die Spanier bemühten, orientierten sie sich nicht an den Kirchenvätern, sondern an Aristoteles. »Der Philosoph sagt, es ist klar, dass einige Menschen von Natur aus Sklaven sind und andere von Natur aus frei.«[123]

In seinem 900 Seiten starken Band *The Slave Trade* (»Der Sklavenhandel«) stellt Hugh Thomas das Denken der Konquistadoren so dar: »Wenn Athen Sklaven zum Bau des Parthenons benutzte und Rom zur Wartung seiner Aquädukte, warum sollte das moderne Europa zögern, Sklaven zum Bau seiner neuen Welt in Amerika einzusetzen?«[124] Ja, warum eigentlich? Wenn da nicht dieser christliche Glaube gewesen wäre, zu dem Europa sich bekannte …

Womit wir bei einem Problem wären, dem wir bereits begegnet sind. Wie bei den Missständen in der Kirche, der spanischen Inquisition und der Affäre Galilei ist es auch hier nicht so, dass diese Dinge alles in allem doch nur halb so schlimm waren. Ganz im Gegenteil: Wenn man alles in Betracht zieht, waren diese Dinge böse – absolut böse. Aber sie waren auch deswegen so böse, weil die Täter behaupteten, an das Gute zu glauben.

Das ist der Grund, warum der ehemalige Sklave Frederick Douglass seine schärfste Kritik für seine »Mitchristen« reservierte – für die Kirchen, Kirchgänger und Theologen, die die Sklaverei verteidigten. Er nannte sie das »Bollwerk der Sklaverei in Amerika«. Und als er 1848 an seinen früheren Herrn Thomas Auld schrieb, hielt er mit seiner Meinung nicht hinter dem Berg, sondern nannte den frommen Kirchgänger einen »Diener der Hölle«.

> Die furchtbaren Schrecken der Sklaverei stehen in ihrer ganzen Scheußlichkeit vor mir, das Schreien von Millionen zerreißt mir das Herz und lässt mein Blut gefrieren. Ich erinnere mich an die Kette, den Knebel, die blutige Peitsche, die schwarze Wolke des Todes über dem gebrochenen Geist des gefesselten Leibeigenen, die Grausamkeit, mit der er seiner Frau und seinen Kindern entrissen und wie ein Stück Vieh auf dem Markt verkauft wurde … Es ist ein Verbrechen gegen die Seele, ein Krieg gegen den unsterblichen Geist; es ist etwas, für das Sie sich einst werden verantworten müssen vor dem Richterstuhl unseres gemeinsamen Vaters und Schöpfers.[125]

Beachten Sie den Ausdruck »unser gemeinsamer Vater«. Douglass kann seinen ehemaligen Sklavenhalter gleichzeitig »Diener der Hölle« und Bruder nennen. Dies ist eine differenzierte Sicht sowohl des Menschseins als auch des Bösen – eine Sicht, die aus dem christlichen Glauben hervorgegangen ist, zu dem Douglass wie Auld sich bekannten, mit dem sie aber so unterschiedlich in der Wirklichkeit konfrontiert wurden. Wenn die Wahrheit Christi nicht als Bollwerk des Bösen missbraucht wird, sondern sich frei entfalten kann, werden die Mächtigen gestürzt und die Elenden emporgehoben.

Die Bibel hatte nie etwas anderes gelehrt. Doch im 19. Jahrhundert wurde, nach jahrzehntelangem Kampf und in Amerika durch einen brutalen Bürgerkrieg, aus einer geistlichen Wahrheit eine politische Realität. Die »ausgemachte« Wahrheit der Gleichheit der Menschen, die alles andere als ausgemacht war, setzte sich durch. Der gesamte Westen sah die Abschaffung der einst universalen Institution der Sklaverei, und ein blutgetränktes Imperium musste einem dezidiert christlichen Denken weichen.

Predigt und Politik

Im Jahr 1787 wurde das britische *Abolition Committee* (Ausschuss zur Abschaffung der Sklaverei) durch Christen aus den Reihen der Quäker und der Evangelikalen (biblisch orientierten Protestanten) gegründet. Zu den Gründern gehörte auch ein britischer Parlamentsabgeordneter: William Wilberforce. Das Logo des *Abolition Committee*, das von Josiah Wedgwood als Keramik-Medaillon gestaltet wurde, zeigte einen in Ketten knienden Sklaven, und um diesen herum waren die Worte eingraviert: »Bin ich nicht ein Mensch und Bruder?« Hier klang wieder der Schöpfungsbericht an, diesmal durch die Brille des Neuen Testaments und des Christentums betrachtet, wo Mann und Frau, Jude und Grieche und Sklave und Freier alle »Brüder« in Christus sind. Nach der intensivsten moralischen Kampagne, die Großbritannien je erlebt hatte, komplett mit Petitionen von nie gesehener Ausführlichkeit, Versammlungen, Boykotten, Flugschriften, Predigten und Reden, kam 1807 die Abschaffung des Sklavenhandels und 1833 die Abschaffung der Sklaverei.

Der Schlüssel zum Erfolg war ein doppelter: Predigten und Politik. Es begann mit einer unverhohlen christlichen Botschaft, die eine ganze Generation bewegte. Mit den Worten des Historikers Alec Ryrie: »Großbritannien verbot ein riesiges, hochlukratives Gewerbe, das eine der großen Stützen seines eigenen Reiches war«, und der Grund dafür war der Abolitionismus, »eine durch und durch religiöse Bewegung«.[126]

Die Predigten waren absolut wichtig, aber damit es wirklich zur Abschaffung der Sklaverei kam, musste die geistliche Autorität, die die Abolitionisten ausstrahlten, ergänzt werden durch eine politische Autorität, die die nötigen gesetzlichen Maßnahmen ergriff. Es war sicherlich hilfreich, dass Großbritannien die Meere beherrschte. Als größte Seemacht der Welt war es imstande, den Schiffsverkehr auf dem Atlantik zu überwachen, und als größtes Imperium der Welt hatte es den nötigen Einfluss, die Abschaffung der Sklaverei und Befreiung der Sklaven in andere Länder zu exportieren.

Und hier, in der politischen Phase, wurde der unverhohlen *christliche* Akzent der Abolitionisten leiser. Wenn der Abolitionismus vom protestantischen England auf katholische und muslimische Länder übergreifen sollte, bedurfte er einer »Übersetzung« in eine andere Ausdrucksweise. Die Diplomatie erforderte es, dass man die Sprache veränderte. Und so wurde im Jahr 1842 ein neuer Begriff geboren. Die Sklaverei – so die Juristen – sei kein Verbrechen gegen den Schöpfer oder gegen Christus, sondern ein »Verbrechen gegen die Menschlichkeit«.

> Als ein amerikanischer Diplomat den Sklavenhandel im Jahr 1842 als ein »Verbrechen gegen die Menschlichkeit« definierte, zielte dieser Begriff darauf ab, akzeptabel zu sein für Juristen sämtlicher christlicher Konfessionen – und keiner. Sklaverei, die nur Jahrzehnte zuvor noch fast überall als selbstverständlich galt, war mittlerweile neu definiert als Beleg für Brutalität und Rückwärtsgewandtheit. Gegen Sklaverei zu sein bedeutete, sich dem Fortschritt anzuschließen. Wer Sklaverei unterstützte, musste sich vor dem Forum nicht nur des Christentums, sondern jeglicher Religion verurteilt wissen.
>
> Was nun natürlich für Muslime eine Neuigkeit war. Als der britische Generalkonsul von Marokko sich für die Sache des Abolitionismus stark machen wollte, stieß er mit seinem Ersuchen, den Handel mit afrikanischen Sklaven zu unterbinden, auf blankes Unverständnis. Der Sultan klärte ihn auf, dass es sich dabei um eine Angelegenheit handle, »in der sämtliche Religionsgemeinschaften und Nationen sich seit der Zeit Adams einig waren«.[127]

Was die geschichtliche Tradition betraf, hatte der Sultan absolut recht. Doch binnen einer Generation fanden er und alle anderen sich »auf der falschen Seite der Geschichte« wieder.

Heute leben wir *nach* der Abschaffung der Sklaverei, und unser moralisches Denken findet es geradezu unmöglich, hinter diese Abschaffung zurückzugehen. Die neue Norm hat nichts mehr mit der alten zu tun. Die Abschaffung der Sklaverei war ein absoluter Meilenstein in der Geschichte der Menschheit, den keiner, ob er nun Christ ist oder nicht, ignorieren kann. Wir glauben nicht nur an die Freiheit, wir glauben jetzt auch an den Wandel durch Fortschritt.

8

Fortschritt

*»Der Bogen des moralischen Universums ist lang,
aber er neigt sich zur Gerechtigkeit hin.«*

(Theodore Parker, 1853)

Dieser Ausspruch des Anti-Sklaverei-Aktivisten Pastor Theodore Parker (1810–1860) war ein Lieblingszitat eines anderen Pastors: Martin Luther King Jr. (1929–1968). In ihrem Kampf für die Abschaffung des Sklavenhandels (19. Jahrhundert) bzw. für die Bürgerrechte (20. Jahrhundert) begegneten diese beiden Männer schreiender Ungerechtigkeit mit tiefer Hoffnung. Beide standen in einer religiösen Tradition, die ihnen versicherte: »Morgen kann es besser sein als gestern, aber nicht ohne dass dies heute sehr viel kostet.« Der (wenn auch nicht hundertprozentige) Erfolg ihrer Kampagnen hat Millionen Menschen in der Welt Hoffnung gegeben und lässt uns hoffen, dass das Universum vielleicht doch einen moralischen Charakter hat und Verbesserungen zum Guten möglich sind.

Wir finden den Glauben an diesen »Bogen des Universums« allerorten. Er steckt in Keir Starmers Überzeugung, es könne nicht angehen, dass im Großbritannien des 21. Jahrhunderts eine Statue von Edward Colston steht. Er steckt hinter jedem Kommentator, der darüber klagt, dass wir »im Jahr X immer noch solche Diskussion führen müssen«. Und hinter dem Vorwurf, dass eine Position »auf der falschen Seite der Geschichte« liege. Es scheint, dass sich die Geschichte der Menschheit in eine bestimmte Richtung bewegt. In eine Richtung, die wir so beschreiben könnten: irgendwohin, wo es besser ist.

Solch ein Glaube an den Fortschritt ist keine Selbstverständlichkeit. In früheren Kulturen war es die Vergangenheit, die als »besser« galt als die Gegenwart. Die Vergangenheit, das war die Zeit der Helden und Götter, die Zeit, in der große Dinge geschahen. Der griechische Dichter Hesiod (um 700 v. Chr.) teilte die Geschichte der Menschheit in fünf Epochen ein, vom Goldenen Zeitalter bis in die Eisenzeit, und mit jeder Epoche ging es weiter abwärts (bis es eines Tages vielleicht ein neues Goldenes Zeitalter geben und das Ganze von vorne anfangen würde). Ganz anders die Bibel: Sie lehrt ein Modell der Menschheitsgeschichte, das in seiner Art einzigartig ist: nicht zyklisch, sondern ein Pfeil, der nach vorne weist. Und nach oben. Die Israeliten waren lange versklavt gewesen, aber jetzt waren sie unterwegs zum »verheißenen Land«. Und eines Tages würde der Messias als der große Friedefürst kommen; er würde leiden müssen, aber er würde die Welt wieder in Ordnung bringen.

Die prophetischen Schriften des Alten Testaments waren voll von solchen Erwartungen. Nach einer Zeit tiefer Finsternis würde ein Licht aufleuchten. Die Täler würden erhoben und die Berge eingeebnet werden. Schwerter (Werkzeuge des Todes) würden zu Pflugscharen (Werkzeugen des Lebens) umgeschmiedet, und ein Erlassjahr (mit Erlass der Schulden und Freilassung der Sklaven) würde ausgerufen werden, damit »Recht [sich] ergieße wie Wasser und Gerechtigkeit wie ein immerfließender Bach« (Am 5,24).

Kommt Ihnen das bekannt vor? Gut möglich, dass Sie einige dieser Sätze erstmals aus dem Munde von Martin Luther King gehört haben, vielleicht in seiner mitreißenden Rede »I have a dream« (»Ich habe einen Traum«). Hören Sie sie sich im Internet an, wenn Sie erfahren wollen, was die alten hebräischen Propheten mit der heutigen Welt zu tun haben. Diese 17 Minuten sind das stärkste Plädoyer für einen Fortschritt, das es je gegeben hat, und sie enthalten mehr von der Bibel als so manche Sonntagspredigt. Die ganze Sichtweise und Vorgehensweise von Martin Luther King ist ohne sein christliches Fundament völlig unverständlich.

Aber Kings Glaube an den »Bogen« der Geschichte ist nicht nur zutiefst und spezifisch christlich, er wird heute auch von Millionen Menschen geteilt – Menschen, die alle möglichen Religionen haben und manchmal gar keine. Dies geht zu einem nicht geringen Teil auf das Konto des Erfolges der Bürgerrechtsbewegung. Diese moralische Sichtweise von Geschichte hat das Geschichtsverständnis verändert und wurde dadurch zunehmend als vernünftig angesehen, bis es eine Selbstverständlichkeit wurde. Barack Obama ließ das Zitat mit dem »moralischen Bogen« in einen Wandteppich einweben, den er im *Oval Office* aufhängen ließ.

Steven Pinker, Professor für Psychologie an der *Harvard University*, ist so fasziniert von diesen Ideen, dass er in seinem Buch *Aufklärung jetzt* wiederholt auf sie zurückkommt. In dem Buch feiert er den Fortschritt mit nicht weniger als 75 Grafiken solcher Dinge wie Lebenserwartung, Säuglingssterblichkeit, Gesundheit, Reichtum, Frieden, Rechte, Bildung und vieles mehr. Sämtliche Pfeile zeigen in die richtige Richtung. Pinker ist Atheist und Humanist, aber bei der Beschreibung dieser Phänomene kann er gar nicht anders, als auf Formulierungen aus der Bibel zurückzugreifen. So beschreibt er die fantastische Möglichkeit, saubere Energie aus demontierten Atomwaffen zu gewinnen, mit den Worten: »›Waffen zu Pflugscharen‹ in Reinkultur.«[128]

Wenn er über den Rückgang der Todesstrafe in aller Welt spricht, gesteht er, dass dies »beinahe den Anschein« erweckt, »als gebe es tatsächlich eine mysteriöse ausgleichende Gerechtigkeit«. Er macht darauf gleich einen Rückzieher von dem »mysteriös«, indem er fortfährt: »Oder etwas prosaischer: Wir erleben, wie sich ein ethisches Prinzip – weil das Leben heilig ist, wiegt es schwer, jemanden zu töten – über eine große Bandbreite an Akteuren und Institutionen fortpflanzt ...«[129] Es ist doch nicht mysteriös, es ist einfach so, dass die *Heiligkeit des Lebens* – ein in der Antike unbekannter Begriff – in immer mehr Bereiche des Weltgeschehens eindringt.

In dem Kapitel über gleiche Rechte versucht Pinker, »die Tiefen der Strömung aus[zu]loten, von der die Rechtsgleichheit vorangetrieben wird«. Er greift dabei bewusst auf Worte aus der Bibel zurück und fragt: »Strömt das Recht wie Wasser, die Gerechtigkeit wie ein nie versiegender Bach?«[130] Der Rest seines Kapitels beantwortet diese Frage mit einem eindeutigen Ja.

Den »weltweiten Fortschritt gegen Rassismus, Sexismus und Homophobie« sieht Pinker als »weit geschwungenen Bogen« im Sinne des Bogens von Theodore Parker, der in Richtung Gerechtigkeit zeigt. Parker – so Pinker – konnte die Vollendung des Bogens nicht sehen, sondern nur im Gewissen erahnen, und Pinker fragt: »Kann es ein noch objektiveres Verfahren geben, um zu bestimmen, ob es einen historischen Bogen gibt, der der Gerechtigkeit zustrebt …?«[131] Seine Antwort lautet Ja. Der moralische Fortschritt in der Geschichte ist für ihn kein bloßer Glaubensartikel, sondern durch Fakten belegbar. Aber egal, ob wir uns eher durch flammende Reden oder durch Grafiken überzeugen lassen, eines haben Pinker, Parker und King offenbar gemeinsam: Der »Bogen« existiert; ein solcher Fortschritt ist real.

Aber eigentlich sollten uns beim Thema Fortschritt allmählich ein paar Warnsirenen in den Ohren gellen. Denn die Idee des Fortschritts ist nicht ohne Gefahren. Große Gefahren.

Fortschritt oder Gleichschritt?

Im 19. Jahrhundert war die Idee des »Fortschritts« in aller Munde. Die industrielle Revolution brachte gesellschaftliche Veränderungen wie noch nie zuvor. In dieser Zeit fingen viele der Kurven der Grafiken in Pinkers Buch an, steil nach oben zu zeigen. Die großen Denker jener Zeit ließen sich vom Optimismus mitreißen. Charles Darwin proklamierte den biologischen Fortschritt, G. W. F. Hegel den historischen, Siegmund Freud den psychologischen und Karl Marx den ökonomischen und politischen. Und dies waren nur einige der Köpfe, die an die Machbarkeit des Fortschritts glaubten.

Doch nicht alle ihre Ideen waren neu. Um nur Karl Marx zu nehmen: Es ist bemerkenswert, wie stark er von den anderen Werten geprägt war, die wir in den letzten sechs Kapiteln behandelt haben, vor allem von Gleichheit, Barmherzigkeit, Aufklärung und Wissenschaft. Sein Kommunismus, der so absolut religionskritisch war, wäre ohne diese undenkbar gewesen und war in mancher Hinsicht ein Versuch, den Staat zur Kirche zu machen – zu einem Ort, an dem wie in der Urgemeinde galt: »Niemand betrachtete etwas von seinem Besitz als privates Eigentum. Was sie besaßen, gehörte ihnen gemeinsam« (Apg 4,32; NeÜ).

»Jeder nach seinen Fähigkeiten, jedem nach seinen Bedürfnissen!«, lautet ein bekannter marxistischer Slogan. Es verwundert nicht, dass er in einer christlich geprägten Gesellschaft auf einigen Widerhall stieß. Steht in der Bibel nicht irgendwo, dass Gott die Niedrigen erhöht und die Herren von ihren Thronen stürzt? Aber da gibt es einen Unterschied zwischen Kommunismus und Christentum: In der Bibel ist der, der die Großen klein und die Kleinen groß macht, *Gott*, und wo Menschen versuchen, die Rolle Gottes in ihre eigenen Hände zu nehmen, kommt es meist zu blutigen Revolutionen, wie die Opferzahlen des 20. Jahrhunderts uns drastisch vor Augen geführt haben. Das Problem mit »Alle Macht dem Volk« ist [illegible] das Volk.

Womit wir vor dem Dilemma stehen, das für alle Fortschrittsgläubigen entsteht, die nicht an den Gott der Gerechtigkeit und Gnade glauben. Egal, ob »links« oder

»rechts«, kommunistisch oder faschistisch, wenn wir nur an den Menschen glauben und nicht an Gott, wird der Glaube an den Fortschritt leicht zu einem Freibrief, den Lauf der Geschichte nach unserem eigenen Gutdünken zu gestalten. Ohne einen Leitstern, der uns den Weg zeigt, sind wir versucht, die Sache in die eigenen Hände zu nehmen und uns selbst einen Weg zu bahnen, den wir anschließend als »historisch notwendig« bezeichnen. Dies ist einer der Gründe dafür, warum auf das Jahrhundert des Fortschritts ein noch nie dagewesenes Jahrhundert der Gewalt folgte.

Die Gräueltaten des 20. Jahrhunderts hinterlassen uns einen Kloß im Hals, der so groß ist, dass er jegliche Lobeshymnen auf den »Fortschritt der Menschheit« erstickt. 20 Millionen Tote gab es allein im Ersten Weltkrieg, weitere 75 Millionen im Zweiten. Die russische Revolution unter Lenin forderte Millionen Todesopfer, unter Stalin weitere zig Millionen. In den drei Jahren der »Großen Säuberung« (1934–1936) ließ Stalin *jede Woche* so viele Menschen hinrichten, wie die spanische Inquisition in dreieinhalb Jahrhunderten getötet hat. (Das macht über 750 000 Hinrichtungen in drei Jahren gegenüber den 5000 der Inquisition in 350 Jahren.) In China wurden von 1958 bis 1962 »mindestens 45 Millionen Menschen durch Zwangsarbeit, Aushungern oder Prügel zu Tode gebracht«[132]. Die Tatsache, dass der »Große Vorsitzende« Mao tse-Tung das Ganze den »Großen Sprung nach vorne« nannte, sollte uns eine gesunde Skepsis gegenüber jeglichen Fortschrittsmeldungen geben.

Nach diesem »mörderischen Jahrhundert« suchen viele Menschen erneut einen Leitstern – irgendeinen Fixpunkt der moralischen Gesundheit und Gewissheit. Aber wenn wir auf die Gräuel des 20. Jahrhunderts zurückschauen, finden wir etwas ganz anderes – eine Gewissheit, die alles andere als ein Leitstern ist, dem wir folgen können, sondern eine Grube, die wir unbedingt meiden müssen. Die Grube hat einen Namen: Auschwitz.

Ein Nazi-Jesus?

Was war das Schlimmste, was der Menschheit je passiert ist? Wer sich das 20. Jahrhundert anschaut, könnte zu der Antwort kommen: »Adolf Hitler.« Für Hitler selbst lautete die Antwort: »Das Christentum.« Und er erklärte: »Dieses Reptil erhebt sich immer wieder, wenn die Staatsgewalt schwach wird. Deshalb muss man es zertreten.«[133] Er habe »keine Verwendung für ein von den Juden erfundenes Märchen«[134].

Für Hitler hatte das Christentum, vor allem aber der Jude Paulus, eine gigantische Lüge in die Welt gesetzt. Diese Lüge betraf die Werte der Gleichheit und Barmherzigkeit, die wir weiter vorne untersucht haben. Hitler war überzeugt, dass alles ganz anders war – dass die ganze Natur ein einziger Kampf zwischen den Starken und den Schwachen war, ein ständig neuer Sieg der Starken über die Schwachen.[135] Nachzulesen in einer Weihnachtsbotschaft Hitlers, die als Propagandaschrift unter dem Titel »Deutsche Kriegsweihnacht 1941« unter das Volk kam. Diese »Kriegsweihnacht« war in Wirklichkeit ein Krieg gegen Weihnachten, also gegen den Feiertag der Geburt des jüdischen Messias in Niedrigkeit und Armut.

20 Jahre zuvor, als ein junger Hitler vor einem Publikum, das sich weitgehend als christlich betrachtete, Punkte zu

sammeln versucht hatte, hatte er sich noch als Christ bezeichnet. Doch es war ein »Christentum«, das das krasse Gegenteil der christlichen Botschaft war, wie sie zwei Jahrtausende lang verkündigt worden war. Hitler betrachtete seinen »Herrn und Heiland« Jesus als einsamen Helden, der zusammen mit einer Handvoll Jünger die Juden als das erkannt hatte, was sie waren, und die Menschheit zum Kampf gegen sie aufgerufen hatte. Hitlers Jesus war vor allem ein Kämpfer:

> In grenzenloser Liebe lese ich als Christ und Mensch die Stelle durch, die uns verkündet, wie der Herr sich endlich aufraffte und zur Peitsche griff, um die Wucherer, das Nattern- und Otterngezücht hinauszutreiben aus dem Tempel! Seinen ungeheuren Kampf aber für diese Welt, gegen das jüdische Gift, den erkenne ich heute, nach zweitausend Jahren, in tiefster Ergriffenheit am gewaltigsten an der Tatsache, dass er dafür am Kreuz verbluten musste.[136]

Hitlers Idee eines »Nazi-Jesus« wäre nur lachhaft, wenn sie nicht so voller Hass gewesen wäre und wenn wir nicht wüssten, wohin sie schließlich führte und dass viele Christen in Deutschland sich von ihr mitreißen ließen und ein nationalsozialistisches Christentum proklamierten.

Im Jahr der Machtergreifung Hitlers skizzierte die Führung der »Deutschen Christen« (einer pro-nationalsozialistischen protestantischen Bewegung) ihre Vision für die Zukunft der Kirche in Deutschland. Was die Gläubigen brauchten, war angeblich nichts weniger als die Befreiung vom Alten Testament mit seiner jüdischen Vergeltungs- und Belohnungsethik. Auch die Theologie des Rabbiners Paulus mit ihrem Sündenbock-Denken gehörte abgeschafft.[137] Mit anderen Worten: Der erste Schritt zur Nazifizierung des Christentums bestand darin, das gesamte Alte Testament (also etwa drei Viertel der Bibel) sowie die Hälfte des Neuen Testaments (die Paulusbriefe) zu zerreißen. Was übrig blieb, waren im Wesentlichen die Biografien eines Jesus Christus, »des Sohnes Davids, des Sohnes Abrahams« (Mt 1,1). Man sieht, wie unmöglich das ganze Unternehmen war, und trotzdem haben es die Deutschen Christen versucht.

Im Jahr 1939 hielt Reichsbischof Ludwig Müller eine Predigt über das Herz der christlichen Ethik: die Liebe. Er versicherte seinen Zuhörern, dass *echte* christliche Liebe das harte Antlitz eines Kriegers hätte und alles Weiche und Schwache hassen würde, weil sie darum wüsste, dass das Leben nur dann gesund und tüchtig bleiben könne, wenn alles, was dagegen stand, alles Morsche und Faule und Ungehörige, aus dem Weg geräumt und ausgemerzt würde.[138] Und im Jahr 1942 (das Jahr, das, wie wir heute wissen, das tödlichste des Holocaust war, in welchem allein in Auschwitz zwei Millionen starben) erklärten die Deutschen Christen, dass sie sehr wohl um die christliche Liebe und ihre Verpflichtung gegenüber den Hilflosen wüssten, aber erwarteten, dass das deutsche Volk vor den Nutzlosen und Minderwertigen beschützt würde.[139] Nietzsche wäre stolz gewesen.

Doch die Deutschen Christen schöpften nicht nur aus dem philosophischen Erbe des 19. Jahrhunderts. Die Kirchengeschichte hat beschämende Fälle von Antisemitismus gesehen. Schon sehr früh gab es Christen, die die Juden pauschal als »Christus-Mörder« bezeichneten; dass Jesus selbst Jude war und von den Römern gekreuzigt wurde, spielte dabei für sie keine Rolle. Im Laufe des Mittelalters wurde behauptet, dass die Juden gerne das Blut christlicher Kinder tränken (der sogenannte Ritualmord-Vorwurf). Wenn ein christliches Kind vermisst oder tot aufgefunden wurde, konnte dies der Anlass für schreckliche Vergeltungsmaßnahmen sein, für Morde und – im Falle des mittelalterlichen Britanniens – für die Vertreibung der Juden zwischen 1290 und 1657.

Einen ganz besonderen Vorwand für den Antisemitismus der Nazis lieferte ausgerechnet Martin Luther, der große Reformator und Held der Deutschen. Wenige Jahre vor seinem Tod verfasste er seine berüchtigte Schrift *Von den Juden und ihren Lügen*, zu der der britische Kirchenhistoriker Alec Ryrie meinte: »Das Beste, was man darüber sagen kann, ist, dass nicht öffentlich zum Genozid aufgerufen wird.«[140] Was einmal mehr zeigt, dass die Christen nicht die großen Helden in dieser Geschichte sind; manchmal gehören sie zu den schlimmsten Übeltätern. Aber die Geschichte des Christentums dreht sich ja nicht darum, wie gut die Christen sind; sie dreht sich um Jesus, den jüdischen Messias, der das Böse – einschließlich der Bösartigkeit des Antisemitismus – aufdeckt und richtet.

Dies ist die eine Seite der Medaille; die andere sind jene Christen im Dritten Reich, die aus ihrem Glauben heraus Juden beschützten. Wir könnten über die tapferen Widerstandskämpfer gegen das Böse des Nationalsozialismus reden. Aber der springende Punkt ist nicht so sehr, dass es Christen gab, die dem Nationalsozialismus widerstanden, und Millionen, die dies nicht taten. Es geht auch nicht darum, dass wir auf die schweigende Mehrheit herabsehen und uns als etwas Besseres fühlen. Seien wir ehrlich: Wenn *wir* im Dritten Reich gelebt hätten, wäre es sehr wahrscheinlich nicht weit her gewesen mit unserem Widerstand. Nein, der springende Punkt ist schlicht, dass die Menschen, die sich damals mit dem Nationalsozialismus arrangieren wollten, das Christentum dafür verraten mussten, selbst wenn sie einen Bischofshut trugen. Der »Jesus« der Nazis ist ein völlig anderer Jesus als der der Bibel. Adolf Hitler hatte das Christentum völlig verdreht. 2000 Jahre lang hatte keiner es geschafft, die Botschaft Jesu so zu pervertieren, wie Hitler dies tat. Er war in einem sehr wörtlichen Sinne ein Antichrist.

Aber wenn Hitler ein Antichrist war, wie sollte man dann den Krieg gegen ihn nennen? Was konnte in der Vorstellung des Westens der Zweite Weltkrieg dann anderes sein als ein legendärer Kampf gegen das Böse?

»Menschlichkeit« als Rettung?

Im August 1941 unterzeichneten Winston Churchill und Franklin Roosevelt die »Atlantik-Charta«, die ihre Vision von einer Welt nach Hitler formulierte. Sie beteuerten ihren »Glauben an Leben, Freiheit, Unabhängigkeit und Religionsfreiheit und an die Wahrung der Menschenrechte und der Gerechtigkeit«[141]. Roosevelt bezog sich bewusst auf die Unabhängigkeitserklärung der USA, aber mit einem wichtigen Unterschied: Wo Jefferson von »ausgemachten« Rechten sprach, räumte Roosevelt ein, dass diese Rechte eine Sache des »Glaubens« sind. Aber die Atlantik-Charta stellte jedenfalls klar, wofür die Alliierten in diesem Krieg letztlich kämpfen würden: für die Menschenrechte.

Nicht, dass die Soldaten selbst den Krieg so sahen. Der amerikanische GI Paul Fussell berichtet, wie seine Kameraden die Vorstellung, sie befänden sich auf einem moralischen »Kreuzzug«, mit »Grinsen oder Gekicher« quittierten.[142] Das Grinsen verging ihnen, als sie die deutschen KZs befreiten und das ganze Ausmaß der Nazi-Verbrechen offenbar wurde:

> Sie hatten die Todeslager gesehen, gerochen, und jetzt erkannten sie, dass sie ja die ganze Zeit … für etwas Positives gekämpft hatten, für die Heiligkeit des Lebens … Nach der Entdeckung der Lager breitete sich eine moralische Einstellung aus … Die heftige kleine Frankreich-Tour der Jungs war also doch ein Kreuzzug gewesen.[143]

Es ist eine erschreckende Wahrheit, dass uns sowohl das erste Kapitel der Bibel als auch der Holocaust »die Heiligkeit des Lebens« vor Augen führen können – die Bibel von der positiven, der Holocaust von der schrecklichen, negativen Seite her. Seit dem Zweiten Weltkrieg hat die negative Lektion oft mit lauterer Stimme gesprochen. Wir wissen vielleicht nicht, was »da oben« ist, aber wir haben gesehen, was unten ist. Wir wissen nicht genau, was gut ist, aber wir sind sicher, was böse ist. Wie es Alec Ryrie formuliert hat: »Unser moderner ethischer Konsens ist von dem großen Philosophen Indiana Jones auf den Punkt gebracht worden: ›Nazis! Ich hasse diese Typen!‹«[144]

Als von 1945 bis 1946 im Rahmen der Nürnberger Prozesse die Hauptverantwortlichen des Holocaust vor Gericht gestellt wurden, war es absolut entscheidend, dass sie nach einem gerechten Maßstab beurteilt wurden. Es wäre für die Alliierten undenkbar gewesen, über das Dritte Reich zu sagen: »Jedem das Seine; wer sind wir, darüber zu richten?« Aber genauso undenkbar wäre es gewesen, zu sagen: »Recht hat, wer die Macht hat. Wir stellen euch deshalb vor Gericht, weil wir gewonnen haben.« Wenn hier wirklich Recht gesprochen werden sollte, dann mussten die Nazi-Kriegsverbrecher nach einem Maßstab beurteilt werden, der weit über ihnen *und* über den Alliierten lag. Was für ein Maßstab konnte das sein?

Jahrhunderte zuvor wäre Gott dieser Maßstab gewesen. Die Kirchenjuristen des Mittelalters sprachen vom »Naturrecht«, und ein Denker der Aufklärung wie Jefferson von »ausgemachten« moralischen Wahrheiten. Doch im Jahr 1945 wurden diese Maßstäbe als zu abgehoben oder zu umstritten angesehen. Und so holten die Juristen von Nürnberg den Maßstab hinunter auf die Erde und sprachen von »Verbrechen gegen die *Menschlichkeit*« (eine Ausdrucksweise, die man 100 Jahre zuvor auch auf die Sklavenfrage angewendet hatte).

Man beachte, was für eine Veränderung hier stattgefunden hat. Die Stelle, die einst für »Gott« reserviert war, wird heute von der »Menschlichkeit« eingenommen. Aber ist die Menschheit fähig, diesen Job zu leisten? Die Probleme sind so groß.

Was meinen wir mit »Menschlichkeit«, wenn zu dieser Menschheit die Opfer *und* die Täter gehören? Es gab im

Zweiten Weltkrieg selbstlose Menschen, die Juden bei sich versteckten, und brutale Menschen, die sie vergasten. Beide waren Beispiele dafür, wozu »Menschen« fähig sind. Menschen können beschützen, und Menschen können morden.

Wie sind wir also zu dem Schluss gekommen, dass »Menschlichkeit« an sich antifaschistisch ist? Die Führung der NSDAP sah dies eindeutig nicht so. Für Heinrich Himmler war klar, dass der Mensch nur »irgendein Teil auf dieser Erde«[145] ist. Und für Joseph Goebbels waren Juden Menschen in dem Sinne, wie Flöhe Tiere sind.[146] Wenn auf freier Wildbahn die Starken die Schwachen fressen, warum dann nicht auch in der menschlichen Gesellschaft? Und warum sollte die Herrschaft von Herrenrassen über Sklavenrassen nicht die Norm, ja, eine Tugend sein? Steven Pinker hat einmal folgendes Gedankenexperiment gemacht: Wenn Tugend gleichgesetzt wird mit »Opfern, die der eigenen Gruppe in ihrem Konkurrenzkampf mit anderen Gruppen nützen ... dann [ist] der Faschismus die tugendhafte Ideologie par excellence und der Kampf für die Menschenrechte der Gipfel des Egoismus«[147].

Weder Pinker noch ich hegen die geringsten Sympathien für den Faschismus. Die Frage ist: Warum nicht? Und die Antwort hat nichts mit irgendwelchen Kerneigenschaften der »Menschlichkeit« zu tun (oder der »Wissenschaft«). Wie der Dichter T. S. Eliot angemerkt hat: »Wenn wir von dem Wort ›menschlich‹ all das wegnehmen, was der Glaube an das Übernatürliche dem Menschen gegeben hat, dann ist er zum Schluss nicht mehr als ein extrem kluges, anpassungsfähiges und raffiniertes kleines Tier.«[148] Dies ist das Problem.

Wenn wir alle nur sprechende Affen sind, gibt es keine transzendente *Gerechtigkeit*, in deren Namen man den Nationalsozialismus verurteilen könnte. Was wir alle getan haben (die meisten, ohne es zu merken), ist, dass wir uns auf einen Stapel Bibeln gestellt und mit dem ganzen Gewicht von 2000 Jahren christlicher Geschichte das Urteil verkündet haben. Aber sobald uns jemand fragt, auf welchem Fundament wir stehen, verschleiern wir dieses Fundament, verleihen der »Menschlichkeit« einen göttlichen Status und (das ist die Haupttaktik geworden) zeigen zum hundertsten Mal mit dem Finger auf die offensichtliche Bösartigkeit der Leute, die gegen Menschenrechte sind. Es ist eine Bösartigkeit, die man nach Auschwitz nicht mehr leugnen kann.

Als 1945 die Vereinten Nationen gegründet wurden und 1948 die Allgemeine Erklärung der Menschenrechte verabschiedet wurde, geschah dies ausdrücklich unter dem Eindruck des Bösen, das geschehen war. Die Präambel der Erklärung verwendet dabei dasselbe Wort wie vorher Roosevelt und Churchill; sie spricht vom »*Glauben*« der Völker »an die Würde und den Wert der menschlichen Person und an die Gleichberechtigung von Mann und Frau« und geht von der Anerkennung »der angeborenen Würde und der gleichen und unveräußerlichen Rechte aller Mitglieder der Gemeinschaft der Menschen« aus.[149] Aber wenn es um die *Basis* dieses Glaubens geht, weist die Präambel im Wesentlichen wieder auf das geschehene Böse hin – dass »die Nichtanerkennung und Verachtung der Menschenrechte zu Akten der Barbarei geführt haben, die das Gewissen der Menschheit mit Empörung erfüllen«. Eine wirkliche Basis für die Rechte, die wir da einfordern, wird nicht formuliert; stattdessen weist die Präambel auf den Abgrund des Bösen hin, der *da drüben* geherrscht hat. *Hier bei uns ist es viel besser,* sagt sie praktisch, und das stimmt ja. Aber wir müssen doch die Frage stellen: Was heißt das – hier bei uns? Wie sind wir zu diesem *Hier* gekommen, und auf welcher Grundlage können wir *hier* bleiben?

Es ist eine häufig zu hörende Kritik an der Allgemeinen Erklärung der Menschenrechte, dass sie das »Was« der Menschenrechte definiert, aber das »Warum« offenlässt. Sie proklamiert eine Vision des Wertes und der Würde des Menschen, die hoch erhaben, aber weitgehend ohne Fundament ist. Was genau die Position des Durchschnittsbürgers von heute ist:

»Glauben Sie an die Menschenrechte?« – »Ja, selbstverständlich!« – »Und warum?« – »Was bilden Sie sich ein? Sind Sie etwa Nazi?«

Auf der Flucht verlaufen

Es wurde gesagt, dass Jesus und Hitler die beiden wirkmächtigsten Gestalten in der moralischen Vorstellung des Westens sind. 19 Jahrhunderte lang hatten wir eine Pro-Jesus-Vision; jetzt haben wir ein Anti-Hitler-Bild. Tom Holland hat die neue Sichtweise so zusammengefasst: »Wir brauchten keinen Teufel mehr, weil wir ja Hitler hatten. Wir brauchten keine Hölle mehr, denn wir hatten ja Auschwitz.«[150]

Was wir *positiv* einmal hatten, ist weniger klar, aber die »neue« Moralität ist eine Art Umkehrung des Nazitums (das seinerseits eine Umkehrung des Christentums war). Die Nazis wollten die Herrschaft einer Rasse, also kämpfen wir für die absolute Gleichheit aller Rassen. Die Nazis liquidierten die Schwachen, also schaffen wir den Wohlfahrtsstaat für sie. (Ein gängiger Witz in Großbritannien lautet, das staatliche Gesundheitssystem sei die eigentliche Staatsreligion.) Die größten Sünden der Ära nach dem Zweiten Weltkrieg sind Verstöße gegen Gleichheit und Mitmenschlichkeit. Für den amerikanischen Psychologen Jonathan Haidt heißen die beiden moralischen Grundfundamente der modernen Liberalen »Fairness« und »Fürsorge« (während andere Werte wie Loyalität, Autorität, Heiligkeit und Freiheit als weniger wichtig oder gar unverständlich gelten). Die Sünden, die uns auf die Palme bringen, sind die, die auf »ismus« enden (am allermeisten der Rassismus), sowie die schlechte Behandlung von Minderheiten. Auf keinen Fall darf man xy-»phob« sein, und dass man, wenn gar nichts anderes hilft, den Gegner zum »Nazi« erklärt, ist so sicher wie das Amen in der Kirche geworden.

Das ist die Art Moralität, die wir heute haben: eine Mischung aus säkularisiertem Christentum und Nachkriegs-Antifaschismus (der wiederum auf christliche Einstellungen zurückgeht). Mitmenschlichkeit und Gleichheit sind die großen Ideale (heute oft mit Etiketten wie »Diversität« und »Inklusion« versehen). Es sind Einstellungen, die ihren Wert haben, aber nicht mehr in der christlichen Tradition verankert sind, die ihnen einst ihre Bedeutung gab.

Kurz und gut: Die rein säkulare Antwort auf das 20. Jahrhundert hat sich auf der Flucht aus dem Höllenabgrund gründlich verlaufen. Sie liefert eine Umkehrung der Nazi-Ideologie, schafft es aber nicht, die ursprüngliche christliche Vision wiederherzustellen. Sie propagiert abstrakte Werte

(»Menschlichkeit«, »Rechte«, »Freiheit«, »Fortschritt«), aber da diese Werte von ihren Quellen abgeschnitten sind, hängen sie in der Luft – und wir mit.

Doch es gibt noch eine andere Vision, die auf das 20. Jahrhundert zurückgeht. Parallel zu der säkularen Story entwickelte sich eine ganz andere – und sehr *christliche* – moralische Sicht. Und so möchte ich dieses Kapitel mit der Hoffnung beenden, die von Martin Luther King proklamiert wurde.

»Ich bin auf dem Gipfel des Berges gewesen«

Am 3. April 1968 hielt Martin Luther King seine Rede »Ich bin auf dem Gipfel des Berges gewesen«. In ihr vergleicht er sich mit Mose, der die Israeliten durch die Wüste führte, aber vor den Toren des Verheißenen Landes starb. Am Ende seines Lebens führte Gott ihn auf den Gipfel des Nebo, damit er von ferne das Land sehen konnte, in dem »Milch und Honig floss«. King sah sich selbst in ähnlicher Weise – als jemanden, der ein Werk begonnen hatte, dessen Vollendung er nicht mehr erleben würde, aber das gewiss gelingen würde, weil es Gottes Werk war:

> Wie jeder andere würde ich gern lange leben. Langlebigkeit hat ihren Wert. Aber darum bin ich jetzt nicht besorgt. Ich möchte nur Gottes Willen tun. Er hat mir erlaubt, auf den Berg zu steigen. Und ich habe hinübergesehen. Ich habe das Gelobte Land gesehen. Vielleicht gelange ich nicht dorthin mit euch. Aber ihr sollt heute Abend wissen, dass wir, als ein Volk, in das Gelobte Land gelangen werden.[151]

Hier sehen wir einen unerschütterlichen Glauben an einen Fortschritt. Aber er ist anders als der Optimismus eines Steven Pinker, und er ist das krasse Gegenteil der »Großen Sprünge nach vorne« von Mao und dergleichen. Einen Tag, nachdem er diese Rede gehalten hatte, wurde King erschossen. Seine Geschichte zeigt uns ein Leben der aufopferungsvollen Liebe und der Hoffnung auf etwas, das kommen würde – und darin sehen wir einen Schimmer des Lebens Jesu. Es gibt solch einen Bogen in unserer Existenz. Aber er ist nicht wie ein Regenbogen, der nach oben steigt, um dann in der Ferne zu landen. Es ist ein Bogen, der die Form eines U hat; er lotet die Tiefen des Leidens aus, bevor er hinaufsteigt zu Frieden und Gerechtigkeit.

Die Vision von Martin Luther King, sie ist unverkennbar biblisch, mit einem deutlich christlichen Ruf. Hier ist eine Predigt, die keinen Versuch unternimmt, ihre Sprache milder oder säkularer zu machen. Und das Ironische ist, dass diese himmlische Gesinnung Kings Popularität nicht abträglich war; sie war vielmehr ihre Quelle. Tatsache ist, dass jedes Reden von Menschenrechten letztlich aus christlichen Wurzeln stammt (ob diese nun genannt werden oder nicht). King sprach schlicht in der Muttersprache der Gleichheit, und seine Worte trafen die christlich geprägten Herzen seiner Zuhörer mit ungeahnter Kraft. Sie sprechen auch zu uns, wenn wir Ohren haben, um zu hören. Und wir *müssen* sie hören.

Die Gesellschaft des Westens zersplittert heute in immer kleinere Identitätsgruppen, und das, was uns zusammenhält, wird immer weniger. Wenn es zu Konflikten kommt, haben wir entsprechend weniger gesellschaftliche und spirituelle Ressourcen, um Vergebung und Versöhnung zu praktizieren. Der säkulare Fluss trocknet aus. Aber es gibt Hoffnung. Fortschritt ist möglich – wenn wir zur Quelle zurückkehren.

9

Das Königreich ohne den König

»Ich krieg keine Luft.«

(George Floyd, 25. Mai 2020)

Er sagte es im Laufe von neun Minuten 27-mal. George Floyds Hilferuf an den gleichgültigen Polizisten, der ihm das Knie in den Nacken drückte, klang allzu vertraut. »Ich krieg keine Luft« – das waren die letzten Worte vieler anderer, darunter Eric Garner, ein weiterer Schwarzer, der 2014 durch die Polizei zu Tode kam. Aber der Fall George Floyd schlug Wellen wie kein anderer.

Dank der Smartphone-Videos gab es binnen Tagen Tausende von Protesten nicht nur in Minneapolis und den USA, sondern auch in Deutschland, Großbritannien, Frankreich, Mexiko, Australien, Israel, Südostasien und in Teilen Afrikas, was Joe Biden zu der Bemerkung veranlasste, dass der Tod von Floyd die Welt mehr bewegte als der von Martin Luther King. Über ein halbes Jahrhundert nach Kings Ermordung waren die Ähnlichkeiten nicht schwer zu finden. Floyd und King waren beides Schwarze, die ungerechtfertigt von weißen Aggressoren getötet worden waren, und ihr Tod war ein Stich in das Herz Amerikas, das doch angab, auf dem Fundament der Gleichheit und der unveräußerlichen Rechte erbaut zu sein. King hatte die Unabhängigkeitserklärung der USA einen »Schuldschein« genannt, der immer noch nicht eingelöst war, und jetzt, 52 Jahre später, gingen massenweise Demonstranten auf die Straße (allein in den USA sollen es mindestens 15 Millionen gewesen sein), marschierten, skandierten, stießen Statuen vom Sockel und forderten die Einlösung dieses Schuldscheins.

Dass all dies sich drei Monate nach Beginn einer Pandemie ereignete, führte uns vor Augen, dass es Werte gibt, die noch wichtiger sind als Leben und Gesundheit. Wir sind offenbar doch nicht bloß biologische Wesen, die überleben wollen, oder kapitalistische Konsumenten, die Komfort verlangen; wir sind moralische Wesen, die Gerechtigkeit suchen. Martin Luther King hatte recht, wenn er von einem »moralischen Universum« sprach. Dieses Universum ist unser Wohnort, und deshalb ist uns allen die Sache mit der Gerechtigkeit so wichtig (auch wenn wir uns nicht einig sind, wie man diese Gerechtigkeit schafft).

Aber warum war es unter all den Ungerechtigkeiten und Skandalen in unserer Welt ausgerechnet der Tod von Floyd, der zum zündenden Funken wurde? In einem gewissen Sinne ist dieses ganze Buch, das Sie in Händen halten, eine Antwort auf diese Frage. Floyds Tod hat uns deswegen so bewegt, weil unser moralisches Universum aus ähnlichen Geburtswehen heraus entstanden ist. Sein Tod war ein fernes Echo dessen, was vor 2000 Jahren auf einem Hügel vor den Toren Jerusalems geschehen war: Ein unbewaffnetes, hilfloses Opfer, gleichgültige Funktionäre, ein öffentlicher und demütigender Tod und eine Welt, die zuschaute, die die Tugend des Opfers und die Tyrannei der Unterdrücker mit ansah. Selbst Floyds gestöhntes »Ich krieg keine Luft« hätte auch von den Lippen Jesu kommen können. Wie der Autor und Technologie-Unternehmer Antonio Garcia Martinez sagte: »Das westliche Denken ist wie eine Stimmgabel, die auf eine ganz bestimmte Frequenz eingestellt ist: die Christusgeschichte. Sobald wir die Christusfigur treffen, beginnt sie laut zu schwingen und zu tönen.«[152]

Viele Menschen sahen Floyd als solch eine Christusfigur, auch wenn sie das vielleicht nie zugegeben hätten. Er wurde zum Märtyrer und Heiligen gemacht. Überall gab es Reaktionen von der religiösen Sorte: Straßenkünstler zeichneten seinen Kopf mit einem Heiligenschein, Menschenmengen absolvierten Bußrituale und sprachen »Glaubensbekenntnisse« über Rassengerechtigkeit und Gleichheit.

Ein besonders auffälliger symbolischer Akt, das Niederknien vor dem Beginn einer Sportveranstaltung als Geste gegen Rassismus und andere Übel, geht mindestens teilweise auf den Kern unserer Freiheits- und Fortschrittsgeschichte zurück. Wir erinnern uns: Das Emblem der Abolitionisten, das Anti-Sklaverei-Medaillon von Josiah Wedgwood, zeigte einen knienden Sklaven, der fragt: »Bin ich nicht ein Mensch und ein Bruder?« Das Recht jedes Menschen darauf, vor dem Gesetz als gleich anerkannt zu werden, war verbunden mit der Gleichheit aller Menschen in der Demut vor Gott. Das Knien wurde auch in der amerikanischen Bürgerrechtsbewegung zu einem starken Symbol. Ein berühmtes Foto aus dem Jahr 1965 zeigt Martin Luther King, wie er zusammen mit zahlreichen Demonstranten betend niederkniet, kurz bevor sie ins Gefängnis abtransportiert werden. Es gibt sicher noch andere Wurzeln der Geste des Niederkniens. Wir haben es hier mit Strömungen zu tun, von denen wir nicht immer wissen, woher sie kommen, aber wir werden von ihnen mitgerissen.

2020 vereinigten sich diese Gesten, Slogans und Bewegungen in einer mächtigen Weise. Sie waren die Frucht und der Träger einer moralischen und politischen Befindlichkeit, die so tief und stark war, dass man sie am ehesten als religiös beschreiben kann. Sie wurzelten in Religion, genauer gesagt: im Christentum.

Und es waren nicht nur die Demonstranten, die sich mitreißen ließen. Auch die, die die Proteste hinterfragten, beriefen sich auf Überzeugungen, die im Wesentlichen christlich waren. Keir Starmer wollte, dass die Statue von Edward Colston entfernt wurde, aber lieber mit demokratischen Mitteln (also über einen Prozess, in dem jeder das gleiche Stimmrecht hat). Viele andere unterstützten die Proteste zwar, mahnten aber den von Martin Luther King propagierten *gewaltlosen* Widerstand an. Wieder andere waren besorgt, dass manche antirassistischen Bewegungen die Diskussion unter das Primat der Rasse stellten und damit Kings Prinzip, dass man die Menschen *nicht* nach ihrer Hautfarbe, sondern nach ihrem Charakter und Denken beurteilen sollte, aushebelten.

Und so geht die Diskussion weiter, die Argumente fliegen hin und her, die einen christlichen Instinkte prallen mit den anderen zusammen. Ob die Menschen es merken oder nicht: In den Kulturkämpfen unserer Zeit haben wir es mit lauter »Gläubigen« zu tun, die einander mit Bibelversen beschießen; sie wissen nur nicht mehr, wo sie stehen.

Aber sind die Tage des »christlichen Abendlands« nicht (mehr oder weniger) gezählt? Unsere Kultur ist lange Zeit zutiefst vom Christentum geprägt worden, aber ist das nicht vorbei? Womit wir beim nächsten Einwand wären.

Hat das Christentum im Westen nicht abgedankt?

Im Oktober 2019 wies ein britisches Gericht die Klage David Mackereths ab, in einem Fall, der symbolisch ist für unsere modernen Kulturkämpfe. Mackereth, ein Arzt mit 30 Jahren Berufserfahrung, stellte in einem Bewerbungsgespräch klar, dass er das Recht für sich in Anspruch nahm, »einen 1,80 Meter großen, bärtigen Mann nicht als ›meine Dame‹« anreden zu müssen.[153] Als er daraufhin die Stelle nicht bekam, ging er wegen Diskriminierung vor Gericht. Er behauptete, dass er die Stelle deswegen nicht bekommen habe, weil er klargestellt hatte, dass für ihn 1. Mose 1,27 Gültigkeit hatte – die Bibelstelle, die wir in diesem Buch bereits mehrfach erwähnt haben. Für Mackereth war der Glaube, dass Gott die Menschen nach seinem Bild als Mann und als Frau erschaffen hat, etwas Fundamentales. Das Gericht entschied gegen Mackereth. In der Urteilsbegründung erklärte der Richter, dass der Glaube des Klägers an 1. Mose 1,27 »unvereinbar mit der Menschenwürde« sei. Und so wurde eben jene biblische Aussage, die die »Menschenwürde« erst begründet, verneint – in einem Gerichtsurteil, das einem unwillkürlich das Bild vor Augen führt, wie eine ganze Kultur gerade den Ast absägt, auf dem sie sitzt.

Ist die Zeit des christlichen Einflusses also endgültig vorbei? Viele Konservative und Christen, die den Rückzug des christlichen Glaubens aus der Öffentlichkeit beklagen, behaupten dies schon seit Langem. In der Mitte des 19. Jahrhunderts sprach der englische Dichter Matthew Arnold vom großen Rückzug des »Meers des Glaubens«, der uns »ohne Freude, Liebe und Licht« am Ufer zurücklässt:

> Des Glaubens Meer,
> einst war es groß und stolz, ein mächtig Band,
> das hell und silbern um die Erde lag.
> Doch heute hör' ich nur
> der Ebbe melancholisches Gedröhn',
> wenn zu dem Wind der Nacht
> die Wasser flieh'n den weiten, leeren Sand,
> die nackten Kiesel dieser Welt.[154]

Wenn Arnold so etwas im Jahr 1851 schrieb, als sonntags halb England zur Kirche ging,[155] was würde er heute schreiben, wo vielleicht 6 % der Bevölkerung sonntags zur Kirche gehen und wo es vorkommt, dass die biblischen Fundamente unserer Gesellschaft öffentlich verworfen werden?[156]

Nun, vergessen wir nicht, dass es nicht nur die Ebbe gibt, sondern auch die Flut. Es hat im Laufe der Kirchengeschichte viele Zeiten geben, in denen »die Wasser den weiten, leeren Sand flohen«, aber genauso viele Zeiten, in denen sie mit Macht wiederkamen. Ebben dauern nicht ewig. Aber man kann das Bild mit dem »Meer des Glaubens« auch noch auf eine andere Weise verstehen: Die Macht des Wassers ist eine Realität, egal, wie hoch es im Augenblick steht. Der Boden bei Ebbe ist ganz gewiss ebenso vom Meer geformt worden wie der Strand bei Flut.. Mit anderen Worten: In all den Trends, die wir gegenwärtig erleben, ist immer noch das Christentum am Werk, und die Menschen innerhalb wie außerhalb der Kirche tun gut daran, dies zu erkennen. Schauen wir uns noch einmal den Fall Mackereth an.

Im Jahr 2019 stießen die Überzeugungen von Dr. Mackereth, einem gläubigen Christen, mit der Transgender-Ideologie zusammen, und doch basierten beide Auffassungen auf ihre eigene Art auf christlichen Grundpositionen. Die treibenden Kräfte hinter den Argumenten waren in beiden Fällen die ersten drei Werte, die wir in diesem Buch untersucht haben – Gleichheit, Barmherzigkeit und Freiwilligkeit. Das Problem besteht darin, dass bei gewissen Transgender-Anhängern diese Werte von der christlichen Geschichte, aus der sie stammen, losgelöst und auf eine neue Weise miteinander kombiniert worden sind. Schauen wir uns beides an: die Loslösung und die Neukombination.

Wenn die *Gleichheit* vom christlichen Narrativ losgelöst wird, entwickelt sie sich leicht zu einem radikalen Individualismus. Die Menschen der Antike hatten eine kollektive Identität, die zur Verdrängung der Individualität führte. Wir haben es heute mit der entgegengesetzten Gefahr zu tun. Wir betrachten unsere Gesellschaft als eine lose Ansammlung von Individuen, die vor dem Gesetz alle gleichberechtigt sind. Diese Weltsicht kann sehr atomistisch werden: Mein ganzes Denken geht von mir selbst und meiner Identität aus. Wo man in anderen Kulturen nach außen schaut, um seine Identität zu entdecken, betreiben wir eine Nabelschau. Wo andere Kulturen die *Pflichten* des Einzelnen betonen, fordern wir seine *Rechte* ein. Kein Wunder, dass der Gemeinschaftssinn leidet und dass wir in *allen* Vereinen und Institutionen (nicht nur in den Kirchen) den großen Rückgang erleben.

Im Christentum sitzen alle am selben Tisch. In der modernen Gesellschaft will jeder auf seiner eigenen Leiter sitzen – gleich hoch wie alle anderen. Den biblischen Satz »Da ist nicht Jude noch Grieche, da ist nicht Sklave noch Freier, das ist nicht Mann und Frau« beendet der westliche Mensch des 21. Jahrhunderts nicht mehr mit: »… denn ihr alle seid einer in Christus Jesus« (Gal 3,28), sondern mit: »… denn ihr alle seid einzelne Individuen« oder schlimmer noch: »… denn ihr alle seid austauschbar.« Hier sind wir Lichtjahre von der biblischen Wahrheit entfernt.

Wenn die *Barmherzigkeit* vom christlichen Kontext losgelöst wird, öffnet sich die Tür zu dem, was amerikanische Soziologen »competitive victimhood« nennen: Die Opferrolle (»victim«) wird ausgenutzt, um sich Vorteile zu erkämpfen (»to compete«). Im Christentum hat das große Opfer – Jesus – gelitten, um uns zu erlösen und den Unterdrückten Würde und Hoffnung zu bringen. Die große Gefahr, in der wir heute stehen, ist, dass wir nicht darum bemüht sind, anderen Opfern Würde und Hoffnung zu geben – sondern selbst zu Opfern zu werden. Die große Tugend heute ist nicht mehr Großherzigkeit, sondern Dünnhäutigkeit.

Und in einer Zeit, in der so viele angeben, Opfer zu sein (viele von ihnen aus guten Gründen), fehlt uns der große moralische Maßstab, um schlichtend einzugreifen. Ein Beispiel sind die Auseinandersetzungen zwischen Feministinnen (oder religiösen Minderheiten) einerseits und Transgender-Aktivisten andererseits. Beide Seiten sehen sich als Benachteiligte, die Schutz einfordern. Welcher Seite sollen wir wann den Vorrang geben, und warum? Um diese Fragen beantworten zu können, brauchen wir ein sehr viel fundierteres Verständnis von Geschlecht, Körper, Persönlichkeit und Gemeinschaft, und wir brauchen andere Werkzeuge als das ständige Beharren auf »meinen Rechten«, das x-te Erzählen »meiner Leidensgeschichte« und den nächsten Tweet vom Typ »Meine Güte, wir leben im 21. Jahrhundert«.

Wenn die sexuelle *Freiwilligkeit* vom christlichen Narrativ losgelöst wird, dann besteht die Gefahr, dass unsere Sexualität reduziert wird und weit hinter der christlichen Vision zurückbleibt. Die Freiwilligkeit (eine zentrale Komponente jeder sexuellen Beziehung) wird losgelöst von anderen Werten, wie z. B. Treue. Es besteht die Gefahr, dass Sexualität ihre tiefere Bedeutung verliert und zu einer bloßen Freizeitaktivität herabgestuft wird. In der Realität sind soziale und physische Machtunterschiede stets präsent, und Sexualität ist in das Gefüge unserer Körper, unserer persönlichen Beziehungen und unserer gesellschaftlichen Strukturen eingewoben. Wir modernen Individualisten bilden uns gerne ein, dass Sex eine rein private Sache zwischen freien Individuen sei, aber in Wirklichkeit sind unsere Identität, unser Körper, unser Leben und unsere sexuellen Präferenzen auf das Engste mit Ehe, Kindern, Familie, Biologie und der uns umgebenden Gesellschaft verquickt. Freiwilligkeit ist absolut wichtig, aber sie ist kein hinreichendes Fundament für eine Sexualethik.

Gleichheit, Barmherzigkeit, Freiwilligkeit: drei Werte, die vom christlichen Narrativ abgetrennt worden sind. Wenn wir jetzt diese drei Werte auf eine bestimmte Art kombinieren, erhalten wir eine hoch potente Mischung: die Macht des Individuums, die Macht der Minderheit und die Macht der persönlichen Präferenzen (vor allem im sexuellen Bereich). Womit wir beim Glaubensbekenntnis der Transgender-Ideologie angelangt sind. Für den Transgender-Aktivisten ist die Sache klar: Ich habe ein absolutes Recht, meine Identität selbst zu wählen, egal, was die Kultur und die Biologie sagen. Und meine Mitmenschen *müssen* diese Wahl honorieren; das ist mein gutes Minderheitenrecht. Diese Ideologie ist ganz offensichtlich nicht christlich, aber sie entspringt sehr starken Überzeugungen, die ohne das Christentum völlig undenkbar wären.

David Mackereth seinerseits hat sein eigenes christliches Fundament: das Recht auf Religions-, Meinungs- und Gewissensfreiheit, die Ergebnisse der Wissenschaft (insbesondere die biologischen Definitionen von Geschlecht) und die Autorität der Bibel, die unsere Gleichheit überhaupt erst begründet (vgl. wieder 1Mo 1,27!). Und so finden wir in jenem Gerichtsverfahren des Jahres 2019 einen Zusammenstoß der traditionellen und der säkularisierten Version von Werten, die ihrem Ursprung nach *christlich* sind. Das Alarmierende an dem Urteil war nicht so sehr, dass Mackereth nicht Recht bekam; in Kulturkriegen gibt es halt gewonnene und verlorene Schlachten. Nein, das

Alarmierende war die *Begründung* des Urteils. Der Richter erklärte, dass das eigentliche Problem der Schöpfungsbericht in der Bibel sei. Der amerikanische Journalist Spencer Klavan kommentierte, dass jemand, der die Gottesebenbildlichkeit des Menschen für unvereinbar mit seiner Würde hält, genauso gut behaupten könnte, dass das Samenkorn unvereinbar mit der Blume sei oder der Roggen unvereinbar mit dem Brot.[157] Man verneint die Wurzeln eben des Baumes, dessen Früchte man zum Leben braucht.

Dieser Trend zu immer stärkerer Säkularisierung ist keine nachhaltige Strategie mit Zukunft, sondern, wie wir sehen werden, ein sicheres Rezept für das Zerbrechen der Gesellschaft und das Ende von Freiheit. Aber eines zeigt sich darin eben auch: wie stark der Einfluss des Christentums nach wie vor ist. Da verwirft ein Gericht die Aussage aus 1. Mose, tut dies aber aus »christlichen« Gründen.

Was den Einfluss des christlichen Glaubens auf die westliche Kultur angeht, herrscht zurzeit definitiv Ebbe. Aber der Strand ist von einem »Meer des Glaubens« geformt worden, das viel tiefer und nachhaltiger ist als unsere gegenwärtige kulturelle Phase. Angesichts der Ängste, des Durcheinanders und der Grabenkämpfe, die wir erleben, gibt es für Menschen in den Kirchen *und außerhalb von ihnen* gute Gründe für den Wunsch, dass das Wasser zurückkommen möge.

»Im Internet spinnt gerade einer«

In den vergangenen Jahren haben sich in der westlichen Gesellschaft tiefe Gräben aufgetan. Manche führen dies auf Katastrophen wie die Terroranschläge vom 11. September

2001, den Finanz-Crash von 2007 und die Covid-Pandemie zurück. Andere geben der Polarisierung durch die sozialen Medien und/oder einem bestimmten US-Präsidenten die Schuld. Aber egal, auf welcher Seite wir in diesen Kulturkämpfen stehen, die Werte, mit denen wir argumentieren, sind im Wesentlichen die gleichen. Egal, wie ich es mit der Geste des Niederkniens, dem Umstürzen von Denkmälern, »Black Lives Matter«, keinen Steuergeldern mehr für die Polizei, Entschädigungszahlungen für die Nachkommen von Sklaven und tausend anderen Fragen halte, die nach dem Tod von George Floyd aufkamen, es bleibt dabei: Wir glauben immer noch an die »seltsamen« Werte, die wir in diesem Buch behandelt haben:

- ***Gleichheit:*** Früher waren steile Hierarchien die Norm; heute möchten wir Ungleichheiten ausmerzen, wo immer wir sie finden.
- ***Barmherzigkeit:*** Früher galt Mitleid mit den Armen und Elenden als Schwäche; heute halten wir es für eine Tugend.
- ***Freiwilligkeit:*** Früher konnten Männer mit genügend Macht die Körper anderer Menschen benutzen; heute bezeichnen wir so etwas als das, was es ist: als sexuellen Missbrauch.
- ***Aufklärung:*** Früher war Bildung ein Luxus für die Reichen; heute betrachten wir sie als Notwendigkeit für alle.
- ***Wissenschaft:*** Früher hing unsere Kenntnis der Natur von dem ab, was gewisse Autoritäten uns sagten; heute hinterfragen wir ihre Autorität

und prüfen ihre Aussagen anhand objektiver Standards.

- ***Freiheit:*** Früher ging man davon aus, dass man gewisse Menschengruppen versklaven konnte; heute finden wir diese Vorstellung geradezu »blasphemisch«.
- ***Fortschritt:*** Früher sah man die Menschheitsgeschichte als allmählichen Abstieg aus einem Goldenen Zeitalter; heute finden wir, dass der Bogen der Geschichte nach oben zeigt (oder zeigen sollte): hin zu mehr Gerechtigkeit.

Dies ist gewissermaßen unser Glaubensbekenntnis, denn wir sind im Großen und Ganzen eine Gesellschaft von Gläubigen. So stark ist unser Ja zu diesen Werten, dass wir nur selten merken, wie seltsam sie eigentlich sind – und was für seltsame Leute *wir* sind, die wir daran glauben. Aber dann haben wir in Bezug auf diese Moralvorstellungen herausgefunden, dass wir das traditionelle Christentum, das diese Werte geschaffen hat, weglassen und *trotzdem weiter moralisieren* können. Wir erleben ja heute keine Ebbe des Moralisierens, sondern eine wahre Flut, was viele schockiert.

Vor 140 Jahren ließ Fjodor Michailowitsch Dostojewski in seinem Roman *Die Brüder Karamasow* eine der Hauptfiguren sagen: »Wenn es keinen Gott gibt, ist alles erlaubt.« Das Zitat ist weltberühmt geworden, und viele, inner- wie außerhalb der christlichen Kirchen, haben ihm zugestimmt. Dass wir ohne Gott und die Fesseln der institutionellen Religion mehr Freiheit genießen würden, erscheint nur logisch. Nun, heute zeigt sich, dass viele den erhobenen Zeigefinger noch mehr genießen als die Freiheit. Es ist, als hätte das Zitat einen neuen Wortlaut bekommen: »Wenn es keinen Gott gibt, kann jeder moralisieren.« Bis zum Erbrechen.

Wenn jemand unsere heiligen Werte verlästert (oder als Lästerer dargestellt werden kann), »canceln« wir ihn, d. h., wir ächten ihn im gesellschaftlichen Leben und im Beruf. Dies ist nichts anderes als eine moderne Variante der »Exkommunikation« für moderne »Ketzer«. Und unsere modernen »Inquisitionsgerichte« sind zwar, wie wir dankbar feststellen dürfen, nicht so blutrünstig wie die alten, aber dafür wesentlich weiter verbreitet. Jon Ronson hat dieses System in seinem Buch *In Shitgewittern* detailliert unter die Lupe genommen. Die Empörungsstürme, die durch die sozialen Medien fegen, bedeuten, dass Tausende Menschen gleichzeitig in die Rolle des Richters, der Jury und des Henkers schlüpfen können. Und während der Angeklagte unter der Shitstorm-Lawine begraben wird, können sich die vielen, die ihn fertigmachen, wieder in der großen Masse verstecken: »Die Schneeflocke muss sich ja auch nie für die ganze Lawine verantwortlich fühlen.«[158] Die Rolle des Inquisitors ist sozusagen demokratisiert worden. Jeder ist jederzeit herzlich eingeladen, sich dem Internet-Mob auf Twitter & Co. anzuschließen. Der Haken ist nur: Wenn jeder bei dem großen Mobbing mitmachen kann, wer garantiert uns dann, dass nicht auch jeder selbst das nächste Opfer werden kann?

In der sogenannten »Cancel-Kultur« kommen viele Faktoren zusammen. Ohne Zweifel spielen die sozialen Medien als Turbolader unserer Empörung eine wichtige

Rolle. Aber dass es diese Empörung überhaupt gibt, ist eine Sache des Herzens. Zu dieser Empörung kommt es nämlich dann, wenn sich Menschen, die sich für erleuchtet halten, verpflichtet fühlen, denen, die im Dunkeln sitzen, das Licht zu bringen. Es ist im Prinzip ein missionarischer Eifer. In uns allen sitzt ein Moralprediger; man muss in keine Kirche gehen, um das zu spüren.

Eine der treffendsten Darstellungen der Online-Kultur bietet der Cartoon eines Mannes, der wütend auf seine Computertastatur einhämmert. Seine Partnerin fragt: »Wann kommst du ins Bett?« Seine Antwort: »Ich kann nicht, im Internet spinnt gerade einer.«[159] Wie soll man diesen Mann beschreiben? Mir fällt kein besseres Wort ein als »Missionar«. Er fühlt sich erleuchtet und will jetzt dieses Licht in die Finsternis hineinleuchten lassen. Er verspürt den leidenschaftlichen Drang, die Wahrheit zu verkündigen und diejenigen, die im Kerker der Lüge sitzen, zu befreien. Nein, er ist nicht durch das Internet so geworden; das Internet ist für ihn nur ein willkommenes Mittel, die Botschaft unter die Leute zu bringen. Sein Bedürfnis, recht zu haben und dieses Rechthaben mit anderen zu teilen, geht sehr tief. Man bringe diesen Menschen mit anderen zusammen, die ein ähnliches Sendungsbewusstsein haben, und die Fetzen fliegen mit einer emotionalen Intensität, einem Zorn des Gerechten und einem Wunsch, den Übeltäter in die Verbannung zu schicken, die man ohne Weiteres als »religiös« etikettieren könnte. Es ist die Dekadenzversion des christlichen »Erleuchtungsdrangs«, und es fehlt in ihm das, was das Herz des Christentums ausmacht: *Vergebung.*

Der Fluch des Halb-Christentums

In seinem Buch *Wahnsinn der Massen* untersucht Douglas Murray, wie heute aus bestimmten moralischen Überzeugungen Moralisierungskreuzzüge gemacht werden. Eines der Kapitel widmet er dem Thema »Vergeben«, das er als ausgestorbene Kunst beschreibt. Es sieht ganz so aus, als hätten wir als Gesellschaft das christliche Sündenbewusstsein beibehalten, aber die Erlösung komplett vergessen. Sünde – ja, Gnade – nein!

> Als eine Folgelast des Gottestodes sah Nietzsche, dass sich die Menschen in einer ausweglosen Schleife christlicher Theologie wiederfinden würden. Insbesondere sah er voraus, dass die Konzepte von Schuld, Sühne und Scham übernommen würden, zugleich aber die von der christlichen Religion vorgesehene Erlösung nicht stattfinden könne. Offenbar leben wir heute in einer Welt, [...] in der Schuld und Scham eine wesentliche Rolle spielen, in der es aber keinerlei Erlösung gibt.[160]

Es kam, wie es kommen musste. Der Westen hat sich auf das Experiment der Säkularisierung des Christentums eingelassen. Wie Johnny Cash einmal sang: »Sie sagen, sie wollen das Reich. Aber sie wollten Gott nicht darin.« Um das Königreich ohne den König zu bekommen, mussten wir die *Person* Jesus Christus entthronen und durch abstrakte *Werte* ersetzen. Das Problem ist: Personen können mir vergeben, Werte nicht. Werte können mich nur verurteilen.

Diese Werte waren in den zwei Jahrtausenden des christlichen Glaubens nie das Höchste. Die christliche Moral war immer die Moral *von einer Geschichte*. Aber heute haben wir im Westen die Geschichte abgeschafft, den Helden anonymisiert und nur die Moral behalten – und jetzt wundern wir uns, warum unsere Kultur unter Millionen von hasserfüllten Anklagen zerbricht. Das Königreich ohne den König ist kein Ort der Befreiung, sondern ein Ort des Gerichts. Und in unseren demokratischen Republiken sind wir *alle* die Richter – und alle die Angeklagten. Wir brauchen so dringend etwas, das mehr ist als Werte – wir brauchen *jemanden*, der mehr ist. Wir brauchen eine *Person*, die nicht nur das Beste von uns erwartet, sondern uns auch das Schlimmste vergibt.

Wenn wir die sieben Grundwerte der letzten sieben Kapitel Revue passieren lassen, ist es leicht, sie höflich abzunicken und gut zu finden. Aber wer von uns kann im Ernst behaupten, sich immer an sie zu halten? Wer hat noch nie seine Macht zum Schaden eines Mitmenschen missbraucht? Wer hat sich noch nie so verhalten, als sei sein Leben wichtiger als das der anderen? Wer ist den Bedürftigen immer mit Barmherzigkeit begegnet? Ich jedenfalls nicht. Und wenn Sie ehrlich sind, Sie auch nicht.

Wie können wir Edward Colston von seinem Sockel stoßen, ohne unsere eigene Kultur, unsere eigene Mittäterschaft, unsere eigenen Verbrechen zu prüfen? Wir müssen uns doch fragen: »Wie wird die Geschichte einmal über *uns* urteilen?« Oder, um es christlich zu formulieren: »Wie wird Gott uns beurteilen?«

In Psalm 130,3 fragt der Psalmist: »Wenn du, HERR, Sünden anrechnen willst – Herr, wer wird bestehen?« (LUT). Und die erwartete Antwort lautet: »Niemand.« Weder Colston noch ich. Aber – und dies ist wunderbar – dann fährt der Psalm fort: »Denn bei dir ist die Vergebung« (V. 4). Die Geschichte kann uns nicht vergeben, sie kann uns nur richten. Werte können nicht vergeben, sondern nur verurteilen. Aber bei Gott ist Vergebung. Er steht über den Werten. Es steht ihm frei, uns besser zu behandeln, als unsere Gesetzlosigkeit das verdient hat. Ja, er verspricht uns, uns zu vergeben, wenn wir nur mit unserer Schuld zu ihm kommen.

Das ist das Herz der christlichen Geschichte, die wir in diesem Buch erzählt haben. Als Jesus kam, beschrieb er sich als einen Arzt der Seelen – einen Arzt, den es nicht zu den Gesunden, sondern zu den Kranken zog:

> Und Jesus hörte es und spricht zu ihnen: »Nicht die Starken brauchen einen Arzt, sondern die Kranken. Ich bin nicht gekommen, Gerechte zu rufen, sondern Sünder.« (Mk 2,17)

Jesus stellt sich nicht als Moralpolizist vor, sondern als Heiland, der die verwundeten Seelen heil machen will. Er will nicht verklagen, sondern vergeben – wir brauchen nur zuzugeben, dass wir seine Vergebung brauchen. Das ist das Zentrum des christlichen Glaubens: unsere Sünden zuzugeben und die Vergebung zu erfahren, die Christus mir anbietet. Für alle, die wissen, dass sie ganz ähnlich wie Edward Colston sind – also eine Mischung aus ein wenig Gutem und viel Bösem, das mehr als ausreichend ist, um verurteilt zu werden –, ist dies eine wunderbare Nachricht. Der Arzt hat Sprechstunde, keine Wartezeit. Er will uns vergeben und uns anschließend zeigen, wie wir unseren Mitmenschen vergeben können.

In der Mitte des Gebets, das Jesus uns gelehrt hat, steht die Bitte: »Und vergib uns unsere Schuld, wie auch wir vergeben haben jenen, die an uns schuldig geworden sind« (Mt 6,12; ZB). Das ist das, was die Bibel unter einem Leben »unter der Gnade« (Röm 6,14; NeÜ) versteht. »Unter der Gnade« zu sein bedeutet, die unverdiente Gnade Gottes immer wieder zu empfangen und andere daran teilhaben zu lassen.

Die Alternative zum Leben unter der Gnade ist nach der Bibel das Leben »unter dem Gesetz«. Wenn Gnade wie ein Strom von oben ist, ist das Gesetz wie eine Leiter, die wir immer wieder erklimmen müssen. Die einen stehen auf der Leiter etwas höher, die anderen niedriger, aber alle fühlen sie sich verurteilt. Das ist das Wesen des säkularisierten »Christentums«. Unsere abstrakten Werte sind Gesetze, und wenn die Luft, die wir atmen, aus Gesetzen besteht, leben wir in einer Atmosphäre des Richtens, die uns erstickt.

Im 19. Jahrhundert warnte der große Prediger Charles Spurgeon vor den Gefahren des Halb-Christentums. Er sagte: »Sei ein halber Christ, und du hast genügend Religion, um dich unglücklich zu machen.«[161] Es ging ihm um die Christen, die zur Kirche gingen und genügend von der Bibel begriffen hatten, um ihre guten Ratschläge zu verstehen, aber nicht die gute Nachricht. Sie kannten die Maßstäbe Christi, aber nicht seine Geschichte. Sie kannten das Gesetz, aber nicht die Liebe – die Schuld, aber nicht die Gnade. Und das machte sie nicht halb glücklich, sondern ganz und gar verzweifelt.

Was Spurgeon in seiner Zeit bei einzelnen Christen bemerkte, sehen wir heute in der Gesellschaft. Wir erleben im Westen eine Art Halb-Christentum und fühlen uns entsprechend elend. Im folgenden Kapitel wollen wir uns dem Ausweg zuwenden: der Rückkehr zum Original.

10

Suchen Sie sich Ihr Wunder aus

»Ich staune über meinen Glauben und kann ihn selbst nicht verstehen.«

(Jordan Peterson, 2021)

Wir haben Jordan Peterson in Kapitel 2 kurz kennengelernt. Er ist Bestsellerautor, Psychologie-Professor und erfolgreicher YouTuber. Jahrelang gab er sich in Glaubensfragen gewollt agnostisch. Auf die Frage, ob er an Gott glaube, antwortete er wiederholt, dass er die Frage zwar nicht mögen, sich aber so verhalten würde, als existiere Gott. Dann, im Jahr 2017, begann er eine Serie überraschend populärer Vorträge, in denen er Schritt für Schritt durch die Geschichten des 1. Buches Mose führte und dabei psychologische Deutungen herausarbeitete. Dort schreibt er:

> Die Bibel ist – im Guten wie im Schlechten – das Gründungsdokument der westlichen Zivilisation und damit der westlichen Werte, der westlichen Moral, des westlichen Verständnisses von Gut und Böse.

> [...] Wie bei keinem anderen Dokument enthüllt das Studium der Bibel, was wir glauben, wie wir handeln und handeln sollten.[162]

Dies hat vielen Bauchschmerzen bereitet. Als Peterson 2018 vor großem Publikum vier öffentliche Debatten mit dem Atheisten Sam Harris führte, äußerten manche den Verdacht, Peterson und andere wie er würden lediglich »Jesus-Schmuggel« betreiben. Peterson – so hieß es – habe eigentlich eine christliche Agenda, verstecke dies aber geschickt unter einem Deckmantel wissenschaftlicher und intellektueller Seriosität. Getarnt durch säkulare Worte versuche er, Jesus in das Denken der Leute einzuschleusen.

Wenn Sie dieses Buch aufmerksam gelesen haben, werden Sie diese »Schmuggel«-Taktik erkennen. Aber es wird Ihnen auch klar sein, dass nicht Jordan Peterson der Jesus-Schmuggler ist. Die ganze westliche Zivilisation ist eine einzige große, jahrhundertealte Jesus-Schmuggel-Operation. Anfangs lief sie offen, heute läuft sie verdeckt. Wenn wir heute über »Rechte« reden oder über »Diversität und Inklusion«, über das Wunder der Wissenschaft, über humanitäre Ideale oder ein moralisches Universum, das sich zu mehr Gerechtigkeit hin entwickelt, sind wir Teil dieser gigantischen Bibel-Schmuggel-Operation. Wenn wir über Menschlichkeit, Geschichte, Freiheit, Fortschritt oder die Werte der Aufklärung reden, so wie wir diese Dinge heute verstehen, führen wir im Grunde ein christliches Gespräch. Die Sprache und die Logik sind unmissverständlich, auch wenn wir es manchmal gelernt haben, unser Vokabular anzupassen.

Es ist nicht nur Peterson, der uns auf die christlichen Quellen unserer Werte hinweist. In diesem Buch sind schon Autoren wie Larry Siedentop, Tom Holland, Rodney Stark, Kyle Harper, Joseph Henrich und andere zu Wort gekommen. Keiner von ihnen ist Christ, aber allen ist klar, wie tief wir vom Christentum und seiner Geschichte geprägt sind. Und was diese Autoren machen, ist das genaue Gegenteil von Jesus-Schmuggel, denn sie decken ja auf, wie das Christentum bis in die letzten Winkel unserer Welt eingedrungen ist. Peterson und andere entlarven eher die wahren Bibel-Schmuggler: die Säkularisten.

Doch die Entdeckung des christlichen Fundaments unserer Werte hat Peterson auf eine persönliche Reise geschickt. Das Eingangszitat dieses Kapitels stammt aus einem Interview, das der christliche YouTuber Jonathan Pageau 2021 mit Peterson führte und in welchem Peterson unter Tränen berichtete, wie es ihn, fast gegen seinen Willen, zu dem christlichen Glauben hinzog.

Das eigentlich Faszinierende dabei war die Logik seiner Argumentation. Als es ihn immer mehr zum christlichen Glauben hinzog, weg von einer rein säkularen Erklärung der Welt, ging ihm auf, dass ja *beide* Positionen – die christliche und die säkulare – Glaubenspositionen sind, denn beide behaupten Dinge, die »unmöglich« sind.

> Ich habe die Wahl zwischen zwei Unmöglichkeiten. Entweder ich glaube, dass die Welt so beschaffen ist, dass Gott Mensch wurde und gekreuzigt wurde und drei Tage später von den Toten auferstand, oder ich glaube, dass irgendwelche Menschen diese

> unglaublich absurde Geschichte erfunden haben, die in jedes Atom unserer Kultur eingedrungen ist. Und für mich ist es durchaus nicht klar, dass die zweite Hypothese glaubwürdiger ist als die erste. Denn je mehr man sich mit den Details der Geschichte von Christus befasst, desto komplexer und tiefgreifender wird sie.[163]

Es ist »unmöglich«, zu glauben, dass Gott Mensch wurde und starb und wieder auferstand. Aber es ist genauso »unmöglich«, zu glauben, dass diese »absurde Geschichte« in jeden Winkel des heutigen Lebens eingedrungen ist und es prägt. Der Christ glaubt an die erste unmögliche Wahrheit, dem Säkularisten bleibt nur die zweite. Wir alle haben also einen »unmöglichen« Glauben.

Wie kommen wir aus diesem Dilemma heraus? Es lohnt sich, zu sehen, dass die zweite Unmöglichkeit – der bleibende, prägende Einfluss der Jesus-Geschichte – ja Realität ist: *Ein Mann am Kreuz hat unsere westliche Welt hervorgebracht*. Hier steht selbst der hartgesottenste Rationalist vor einer Absurdität. Aber der Christ kann diese Absurdität erklären. »Der Grund, warum ein Gekreuzigter unsere Welt geschaffen hat, ist, dass er unser Schöpfer ist – Gott in Person.«

Petersons Geschichte ist noch lange nicht vorbei, und sie verläuft auch nicht gradlinig. Wer weiß, wohin seine Reise ihn noch führen wird? Es geht mir hier nicht darum, ihn für das »Jesus-Team« zu vereinnahmen oder zu suggerieren, dass er unweigerlich in der christlichen Kirche landen wird.

Es geht mir einfach um das, was er entdeckt hat: dass jeder Mensch ein Glaubender ist, dass jeder an Dinge glaubt, die eigentlich absurd sind, und dass jeder eine Erklärung finden muss für die ungeheuren Wirkungen, die von Jesus Christus ausgegangen sind.

Es gibt hier natürlich eine naheliegende Antwort. Sie nimmt das gerade Gesagte durchaus ernst, sagt aber: »Schön, wir kommen also vom Christentum her. Na und? Von irgendwoher mussten unsere Werte ja kommen. Das macht den christlichen Glauben noch lange nicht *unausweichlich* oder *wahr*.«

Auf diesen Einwand möchte ich im nächsten Abschnitt antworten, indem ich auf zwei erstaunliche Merkmale der Jesus-Revolution hinweise, die mich davon überzeugt haben, dass sie letztlich von oben – von Gott her – und nicht von unten gekommen ist und dass sie nicht bloß eine zufällige Entwicklungsphase der Menschheit darstellt. Erstens hat sie Vorhersagen erfüllt und zweitens hat sie Erwartungen auf den Kopf gestellt. Und bei all dem lade ich Sie ein, offen dafür zu sein, dass das Christentum kein »natürliches« Phänomen ist, sondern etwas Übernatürliches.

Seit Langem vorhergesagt

Vom Anfang bis zum Ende verkündet und prognostiziert die Bibel eine außergewöhnliche Entwicklung in der Weltgeschichte: den Sieg des Opfers.

Beginnen wir mit dem Alten Testament. Man könnte es auch »die heiligen Schriften der Juden« nennen oder »die hebräische Bibel«. Selbst die letzte dieser Schriften entstand

Hunderte von Jahren vor dem ersten Weihnachtsfest, aber alle reden sie mit einer bewegenden Schönheit, Einheit und Deutlichkeit von einem kommenden Messias (»Gesalbten«).

Schon in 1. Mose 3, kurz nach dem »Sündenfall« Adams und Evas, der die Welt ins Elend stürzte, lesen wir die erste Messias-Prophezeiung: Ein Nachkomme der Frau, ein kommender Erlöser, wird der Schlange, die den Tod und das Chaos in die Welt gebracht hat, den Kopf zertreten, wird aber dabei von ihr in die Ferse gebissen werden (1Mo 3,15). Er wird als Leidender das Böse besiegen.

Im weiteren Verlauf des 1. Buch Mose stellt sich die Frage: Wer wird diesen verheißenen Sohn zur Welt bringen? Wir lernen Abraham kennen (den Vater des Volks der Juden), seinen Sohn Isaak, Isaaks Sohn Jakob und Jakobs zwölf Söhne. Die Verheißung konzentriert sich auf eine ganz bestimmte Abstammungslinie. Am Ende des ersten Buches der Bibel finden wir folgende Prophezeiung Jakobs über seinen Sohn Juda:

> Nie weicht das Zepter von Juda, der Herrscherstab von seinem Schoß, bis der kommt, dem er gehört. Und ihm werden die Völker gehorchen. (1Mo 49,10; NeÜ)

Aus Juda wird die Dynastie der Könige Israels hervorgehen, doch jeder dieser Könige wird nur ein Wegbereiter für den Großen König sein. Eines Tages wird er kommen, der König aus der Linie des kleinen, alten Juda, und er wird ein König für die ganze Welt sein.

Überspringen wir Dutzende ähnliche Prophetien und mehrere hundert Jahre der Menschheitsgeschichte und kommen wir zu den großen Propheten, die Gott zu den Israeliten sandte. Sie nehmen das Thema der Geburt des verheißenen Erlösers auf:

> Denn ein Kind ist uns geboren,
> ein Sohn uns gegeben,
> und die Herrschaft ruht auf seiner Schulter;
> und man nennt seinen Namen:
> Wunderbarer Ratgeber, starker Gott,
> Vater der Ewigkeit, Fürst des Friedens.
> Groß ist die Herrschaft,
> und der Friede wird kein Ende haben
> auf dem Thron Davids
> und über seinem Königreich,
> es zu festigen und zu stützen
> durch Recht und Gerechtigkeit
> von nun an bis in Ewigkeit.
> (Jes 9,5-6)

Der verheißene Sohn wird der »starke Gott« sein, der sich seiner Schöpfung annimmt und ein Friedensreich bringt, das sich nicht aufhalten lässt. Sein Reich wird immer größer werden, von seiner Geburt an »bis in Ewigkeit«. Dies ist nicht üblich bei Königreichen; jeder weiß doch, dass Königreiche kommen und gehen. Auch die Israeliten wussten das; sie erlebten die Macht und Grausamkeit der Babylonier, der Perser, der Griechen und schließlich der Römer. Aber während man das, was von diesen Großreichen übrig ist, heute in den Museen dieser Welt bestaunen kann, wächst das Reich des Messias immer weiter, wie von Jesaja vorhergesagt.

Dieses Thema wird in der Bibel von einem anderen Propheten wieder aufgenommen: Daniel, der im 6. Jahrhundert v. Chr. wirkte. In einer seiner Visionen sieht er eine imposante Statue, die aus vier verschiedenen Materialien besteht und die gerade genannten Großreiche symbolisiert. Aber er sieht noch mehr: Da ist jemand, der alle diese Mächte besiegt. Plötzlich löst sich »ohne Zutun einer Menschenhand ein Stein«. Er zerschmettert die Füße der Statue und wird »zu einem riesigen Berg, der die ganze Erde ausfüllte« (Dan 2,34-35; NeÜ). In Kapitel 7 nimmt Daniel diese Themen erneut auf. Diesmal werden die Großreiche als Raubtiere dargestellt, die sich auf Gottes Volk stürzen. Doch plötzlich erscheint jemand, der kein Tier ist, sondern »wie der Sohn eines Menschen« ist (Dan 7,13). Was wird er ausrichten können gegen die monströsen Kräfte weltlicher Macht? Doch der Menschensohn entpuppt sich als Gottes rechte Hand, und durch seine *Menschlichkeit* (und nicht durch Grausamkeit) überwindet er die Reiche der Welt:

> Und ihm wurde Herrschaft und Ehre und Königtum gegeben, und alle Völker, Nationen und Sprachen dienten ihm. Seine Herrschaft ist eine ewige Herrschaft, die nicht vergeht, und sein Königtum so, dass es nicht zerstört wird. (Dan 7,14)

Kein Wunder, dass zur Zeit Jesu die Messiaserwartung in Israel auf dem Siedepunkt war. Israel war im Griff des vierten »Tieres« – Rom. Es war Zeit, dass der verheißene Erlöser kam. Als Jesus die Bühne betrat, stellte er sich diesen Erwartungen. Er akzeptierte viele Titel: »Messias« (Mt 16,16;

NeÜ), »Sohn Davids« (Lk 18,38) und »Sohn Gottes« (Joh 11,27). Er ließ sich auch als »Herr und Gott« anbeten (vgl. Joh 20,28). Aber der Titel, den er selbst am meisten für sich verwendete, war »Menschensohn« bzw. »Sohn des Menschen«.

Er trat ganz so auf, als würde er jene verheißene »ewige Herrschaft« ausüben. Er war ein mittelloser Wanderprediger ohne einen Fetzen irdischer Macht, aber er betrachtete seine Worte als ewig gültig (Mt 24,35). Er schrieb kein einziges Buch und gründete keine Schule, aber er sah sich als den ewigen Richter (Mt 25,31-34). Er ging weder in die Politik noch ins Militär oder in einen religiösen Orden, aber er war davon überzeugt, dass die von ihm gegründete Bewegung wie ein Sauerteig war, der den ganzen »Teig« durchdringen würde, also die ganze Welt (Mt 13,33). Seine Worte waren wie ein winziges Samenkorn, das zu einem großen Baum werden würde (Mt 13,31-32); aus kleinen Anfängen würde sein Reich wachsen, bis es die ganze Erde erfüllte. Es ist ein interessantes Detail, dass Jesus Vögel in diesem Baum nisten lässt (V. 32). Das letzte Mal, als er in Matthäus 13 Vögel erwähnte, pickten sie die Samenkörner weg (Mt 13,4); jetzt nisten sie in den Zweigen des Baumes. So verläuft die überraschende, unaufhaltsame Ausbreitung der Jesus-Bewegung, und all dies wurde lange, lange zuvor vorhergesagt.

Aber Jesus hat nicht nur vorhergesagt, *dass* seine Bewegung triumphieren würde, sondern auch, *wie* dies geschehen würde – durch den Sieg des leidenden Opfers. In Matthäus 16 sagt Jesus zwei Dinge voraus, die absolut gewiss sind: Er wird einen gewaltsamen Tod erleiden, und seine Bewegung wird die ganze Welt erobern. Die Gemeinde wird weit in das Territorium des Feindes vordringen; selbst

»die Pforten der Hölle sollen sie nicht überwältigen« (Mt 16,18; LUT). Pforten (Tore) sind statisch, die Kirche ist es nicht. Jesus malt das Bild seiner Gemeinde, wie sie unaufhaltsam vorrückt, die Pforten der Hölle zerbricht, das Reich der Finsternis plündert und seine Gefangenen befreit und ins Reich des Lichtes bringt. Es kommen schwere Zeiten auf die Welt zu, aber – so erklärt Jesus es in seinem galiläischen Provinzakzent – »dieses Evangelium des Reiches wird gepredigt werden auf dem ganzen Erdkreis« (Mt 24,14).

Tage nach dieser Erklärung hängt Jesus, von Gott verlassen, an einem römischen Kreuz. Ein Triumph sieht anders aus. Doch selbst in dieser Stunde ist Jesu Zuversicht ungebrochen. Seine letzten Worte – »Es ist vollbracht!« (Joh 19,30) – sind ein Siegesschrei. Jesus vollendet sein Lebenswerk. Indem er am Kreuz sein Leben hingibt, nimmt er die Sünde und Schuld seines Volkes auf sich. Er tut das, was die Liebe tut: Er geht in die Welt derer, die er liebt, hinein, um ihre Lasten auf seine Schultern zu nehmen. Der Richter wird an unserer Stelle gerichtet, damit wir, die Schuldigen, frei ausgehen können. Jesus ist »das Lamm Gottes, das die Sünde der Welt wegnimmt« (Joh 1,29).

Aber ist das wirklich ein Sieg? Nicht, wenn das leidende Opfer im Grab bleibt.

Nun, drei Tage später (so berichten es die Evangelien) erstand Jesus körperlich von den Toten auf und erschien seinen Jüngern. Und er gab diesem zusammengewürfelten Haufen einen weltumspannenden Auftrag: hinauszugehen in alle Welt und die Nationen zu Jüngern des jüdischen Messias zu machen (Mt 28,18-20). Dies ist das, was im 1. Buch Mose verheißen wurde, was Jesus befahl und was seine Bewegung seitdem tut.

Wenn wir uns den Triumph der Jesus-Revolution anschauen, sehen wir nicht nur eine eigenartige Wendung in der Geschichte der Welt, sondern diese Wendung war vorhergesagt. Der Sieg des leidenden Opfers wurde in der hebräischen Bibel prophezeit und von Christus selbst verkündigt, lange bevor es auch nur entfernt plausibel war, dass sich dies tatsächlich erfüllen würde.

Aber vielleicht trauen Sie dem Braten nicht. Und damit kommen wir zu unserem letzten Einwand in diesem Buch.

Aber was, wenn die Jesus-Geschichte nur eine Erfindung ist?

Wir haben uns oben wiederholt auf das Matthäusevangelium berufen. Aber kann man Matthäus und den anderen Verfassern der Evangelien trauen? Was, wenn sie Bruchstücke aus dem Leben des historischen Jesus mit den großen Prophezeiungen des Alten Testaments kombiniert und daraus eine fantastische Erzählung gestrickt hätten, die dann die Welt im Sturm eroberte? Es lohnt sich, dieser Frage nachzugehen. Wir sehen dann nämlich, was für ein hoch kompliziertes Projekt so eine Erzählung gewesen wäre.

Stellen Sie sich einmal das »Redaktionsbüro der Verfasser der vier Evangelien« vor, als sie ihren großen Auftrag bekommen, der so lautet:

> Matthäus, Markus, Lukas, Johannes: Ich habe ein Projekt für euch. Ich weiß, ihr habt keinerlei

schriftstellerische Ausbildung oder Erfahrung, aber wir brauchen euch zur Erstellung eines der einflussreichsten zukünftigen Texte der Weltliteratur. Der Abgabetermin ist ein kleines Problem. Es wäre eigentlich besser gewesen, mit unseren Legenden ein, zwei Jahrhunderte zu warten; dann hätte keiner der Zeitgenossen von Jesus uns widersprechen können. Aber es ist, wie es ist: Der Apostel Paulus ist vorgeprescht mit seinen Briefen an Gemeinden im halben Mittelmeerraum. Er hat ihnen Jesus als den verheißenen Messias gepredigt, und keiner weiß, warum, aber jetzt glauben immer mehr Leute an einen »gekreuzigten Gott«. Die Story scheint zu funktionieren, und jetzt brauchen wir euch für die Hintergrunddetails. Könntet ihr bitte die Lebensgeschichte unseres Helden schreiben? Paulus hat uns nur das Gerippe geliefert, und wir brauchen jetzt jemanden für die Details. Könnt ihr da helfen?

Es wird nicht ganz einfach sein. Wir brauchen nicht weniger als den Lebenslauf der größten Persönlichkeit der Menschheitsgeschichte. Sie muss sowohl Gott als auch Mensch sein, sündlos, aber ganz im Leben stehend, und rührend unschuldig, aber mit tiefen Einsichten. Er soll Richter der ganzen Welt sein, der gleichzeitig unendlich barmherzig ist, die Erfüllung aller jüdischen Hoffnungen, aber auch für die ganze Welt attraktiv sein, ein Mann, der zu einer bestimmten Zeit gelebt hat, aber Menschen aller Zeiten anspricht. Wir brauchen einen Helden, der gleichzeitig gütig und von eiserner Entschlossenheit

> ist, einen, der die Selbstgerechten verurteilt und die Sünder anzieht. Seine Reden müssen die erhabensten moralischen Lehren ansprechen – solchen, die Zivilisationen bauen. Und Wunder muss er tun – aber richtige, die Art Wunder, die die Lesergeneration, für die ihr schreibt, sich gemerkt hätte (oder der sie widersprochen hätte). Wir brauchen eine glaubwürdige Handlung, in der der Held tadellos rechtschaffen lebt und trotzdem zum Schluss als Gotteslästerer verurteilt wird. Und alles, was ihr schreibt, muss einer kritischen Überprüfung (biblisch, theologisch, geografisch, sprachlich, literarisch und historisch) standhalten können. Es muss absolut glaubwürdig sein – für die Gegenwart und für die Zukunft, für diejenigen, die diese Zeit erlebt haben und für alle zukünftigen Generationen. Habt ihr alles notiert? Dann ran an die Arbeit!

Das ist der Grund, warum Jordan Peterson es so schwierig findet, zu glauben, dass »irgendwelche Menschen diese unglaublich absurde Geschichte erfunden haben«. Es ist, in seinen Worten, eine »unmögliche« Aufgabe. Wenn wir die Evangelien lesen, stellen wir uns früher oder später eine Frage, die der Theologe Peter Williams so formuliert hat: »Was für ein Genie war hier am Werk?«[164] Und die Evangelien *sind* genial. In der Jesus-Geschichte steckt genug Genialität, um die Welt umzugestalten. Aber wir müssen dennoch fragen: Steckt das Geniale in den Verfassern der Evangelien, oder berichten diese lediglich über die Genialität ihres

Helden Jesus? Beide Optionen wären irgendwie »genial«, aber nur eine von ihnen bietet uns einen Wundertäter, der das Wunderbare erklärt.

Leben aus dem Tod

Fassen wir das Bisherige zusammen. Vom ersten Buch der Bibel an wird »der Sieg des leidenden Opfers« vorhergesagt. Die Propheten sprechen von einem kommenden Erlöser, der das Böse besiegen, aber einen hohen Preis dafür zahlen wird. Dann erscheint auf einmal Jesus als »das Lamm Gottes« – das Opferlamm, das bereit ist, sich für unsere Sünden opfern zu lassen. Der Rest des Neuen Testaments verkündet den überraschenden Sieg dieses Opferlamms. Aber es gibt noch eine Station, die wir auf unserem Schnelldurchgang durch die Bibel besuchen müssen.

Die Bibel endet mit der himmlischen Vision eines Lammes, »das wie geschlachtet aussah« und vor dem Thron des Universums steht (Offb 5,6; NeÜ). Es wäre absurd, dieses Bild wörtlich zu nehmen; dies ist der Stil der Johannesoffenbarung, die komplizierte Bilder benutzt, um ihre Vision der Realität – der Realität von heute und der Realität von dem, was kommen wird – zu umschreiben. Hat man die Bilder einmal verstanden, wird die Bedeutung klar. Das »Lamm, das in der Mitte des Thrones ist« (Offb 7,17), ist Jesus. Er ist das leidende Opfer, das, *weil es geschlachtet wurde*, in der Mitte des biblischen Verständnisses von Gott steht. Er ist der Herrscher des Himmels und der Erde. Und die Johannesoffenbarung versichert uns, dass dieses »Lamm« einst angebetet werden wird von einer riesigen Menschenmenge »aus allen Stämmen und Völkern, Sprachen und Kulturen« (Offb 7,9; NeÜ).

Dies sind außergewöhnliche Überzeugungen, und es ist schwer, zu sagen, welches das Allererstaunlichste ist: dass der, der da am Kreuz starb, Gott war; dass er *durch* dieses sein blutiges Opfer gesiegt hat oder dass einmal die ganze Welt kommen wird, um die Herrlichkeit dieses geopferten Gottes zu sehen. Die winzige Jesus-Bewegung des 1. Jahrhunderts hat jeden Aspekt dieser, um Peterson zu zitieren, »unglaublich absurden Geschichte« übernommen, und trotzdem ist sie damit »in jedes Atom unserer Kultur eingedrungen«. Der triumphale Erfolg der Jesus-Bewegung hat sämtliche menschlichen Erwartungen übertroffen.

Wie immer Sie es mit Wundern halten: Jeder muss sich mit einem außergewöhnlichen »Leben aus dem Tod«-Ereignis aus dem 1. Jahrhundert auseinandersetzen. Niemand, der die Jünger Jesu an dem Tag nach seinem Tod erlebt hatte – am Boden zerstört, voller Angst, führerlos und aus Furcht vor den Machthabern untergetaucht –, hätte jemals erwartet, dass ihre Bewegung die Geschichte der Menschheit verändern würde. Aber dann passierte etwas, damals, vor 20 Jahrhunderten –, das aus einem Verbrechertod eine Explosion des Lebens entfesselte.

Ein Vergleich mit den Naturwissenschaften kann uns hier vielleicht helfen. Die Urknall-Theorie hat bekanntlich ihren Ursprung in der Beobachtung, dass sich unser Universum ausdehnt. Die Physiker fragten sich, was die Ursache für diese Ausdehnung war, und kamen schließlich zu dem Schluss, dass es an irgendeinem Punkt in der fernen Vergangenheit eine Explosion gegeben habe, eine entfesselte Kraft – einen »Urknall«.

Dieses Buch ist einer anderen Ausdehnung nachgegangen – der Ausbreitung der Jesus-Revolution, die »in jedes Atom unserer Kultur eingedrungen« ist. Wenn wir sie bis zu ihrem Ursprung zurückverfolgen, kommen wir ins 1. Jahrhundert. Damals ist etwas geschehen, das eine ungeheure Kraft freisetzte. Christen haben einen Namen für diesen »Urknall«; sie sagen, dass die Auferstehung Jesu die Ursache für die sich explosionsartig ausbreitende Bewegung war, über die wir hier nachgedacht haben, und sie berufen sich dabei auf das Alte und das Neue Testament. Das leidende Opfer hat *über* den Gang der Geschichte entschieden, weil es *in* der Geschichte gesiegt hat: Am dritten Tag nach seiner Kreuzigung ist Jesus von den Toten auferstanden. Das Grab war leer, er erschien seinen Jüngern, und die geschichtliche Epoche, die wir in diesem Buch betrachtet haben, begann.

Die Auferstehung Jesu ist zweifellos ein Wunder – aber keines, das die Absurdität unserer Welt noch vergrößert. Die Auferstehung liefert eine Erklärung für etwas, das ohne sie noch absurder wäre. Denn sie sagt: »Es gibt eine Expansion, weil es eine Explosion gegeben hat« – Christus hat durch seinen Tod die Fesseln des Todes gesprengt und lädt die ganze Welt ein, an diesem seinem Triumph teilzuhaben. Sich auf dieses Wunder einzulassen bedeutet nicht, sich auf Unsinn einzulassen. Es bedeutet vielmehr, dass das Leben einen Sinn bekommt.

Die Auferstehung erklärt, warum die Jesus-Bewegung nicht starb, als er starb. Die Auferstehung erklärt, warum die Jesus-Bewegung immer größer wurde – wider alle Erwartung und durch viele schwere Prüfungen hindurch. Die Auferstehung erklärt, warum das leidende Opfer zum Sieger wurde. Sie erklärt, warum das Kreuz nicht für die ultimative Tragödie steht, sondern für Heilung und Hoffnung. Und warum das Grundmuster aller großen Geschichten – und das eines sinnvollen Lebens – der Triumph *durch* Opfer ist. Aber vor allen Dingen erklärt die Auferstehung Jesus selbst. Sie erklärt, warum Millionen und Abermillionen von Menschen den, der durch seinen Tod berühmt wurde, als denjenigen erfahren haben, der das Leben selbst ist.

Wir alle sind konfrontiert mit einem Ereignis, das lächerlich unwahrscheinlich ist: Das Christentum ist ins Leben getreten, um die ganze Welt zu erobern. Die Christen sagen: *Wir können das erklären: Das Christentum ist deshalb ins Leben getreten, weil Christus auferstanden ist.* Wenn ich mich für diese Erklärung öffne, entdecke ich die wunderbarsten Wahrheiten:

- dass die Welt geliebt wird, und zwar bis in den Tod,
- dass diese Liebe mir zeigt, wer Gott in seinem tiefsten Wesen ist,
- dass hinter der Geschichte, die ich erlebe, der Herr der Geschichte steht, dem ich vertrauen kann,
- dass über allen Werten, die mir wichtig sind, eine Person steht, die diese selbst verkörpert,
- dass hinter den Werten, die ich verletze, die Gnade steht, um mir zu vergeben. Und …,
- dass jenseits des Todes, den ich erleiden muss, das Leben liegt, in das Christus vorangegangen ist: durch die Auferstehung.

Dies sind ohne jeden Zweifel außergewöhnliche Dinge, die man sich zu eigen machen sollte. Denn die gewöhnlichen Dinge bringen uns nicht weiter. Wir leben in einer total außergewöhnlichen Welt. Wir sind die Erben einer völlig unwahrscheinlichen, wunderbaren Geschichte. Es ist ein Fall von »Suchen Sie sich Ihr Wunder aus«.

Und wenn Sie sich von dem Jesus-Wunder angezogen fühlen, dann habe ich im »Wort zum Schluss« ein paar Ratschläge für Sie. Wenn Sie sie befolgen, könnte es sein, dass Sie anschließend sagen: »Ich staune über meinen Glauben und kann ihn selbst nicht verstehen.«

Ein Wort zum Schluss

In der Einleitung habe ich versprochen, dass ich drei Arten von Lesern ansprechen werde. Lassen Sie mich zum Schluss zu diesen drei Leser-Typen zurückkommen. Ich möchte ein letztes Wort richten an die »Unreligiösen« (also die Leser ohne religiöse Bindung), an die »ehemals Religiösen« (das sind die, die sich vom Christentum verabschiedet haben) und an die »Frommen« (also die, die Christen sind).

An die Unreligiösen: Springen Sie nicht!

»Du weißt ja: So wie du glaubst, könnte ich nie glauben.« So schrieb eine Freundin mir in einem Brief. Sie hielt es für unmöglich, zu glauben. Vielen anderen meiner Freunde geht es genauso. Ich bin halt jemand, der glauben kann – sie nicht. Ich habe »den Sprung gewagt« – den Sprung des Glaubens, für den sie selbst zu skeptisch oder zu ängstlich sind.

Der Sprung des Glaubens ist ein beliebtes Bild. Die vielleicht berühmteste Hollywood-Variante dafür ist Indiana Jones im Film *Indiana Jones und der letzte Kreuzzug*. Der kühne Archäologe muss einen tiefen Abgrund überqueren – auf einer unsichtbaren Brücke. Er kann die Brücke also nicht sehen, glaubt aber, dass sie da ist, wagt mutig einen Schritt in das scheinbare Nichts hinaus – und siehe da, sein Fuß landet auf festem Untergrund. Die Brücke existiert, der Sprung des Glaubens wurde belohnt. Bravo, tapferer, alter Indy!

Wenn *das* mit »Glauben« gemeint ist, ist es kein Wunder, dass die meisten Menschen sagen: »Lieber nicht.« Man muss schon sehr mutig (oder ziemlich dumm) sein, um sein Leben auf einen unsichtbaren Erlöser zu setzen. Die meisten Zeitgenossen haben nicht die Spiritualität eines Indiana Jones. Wenn christlicher Glaube so aussieht, ist es kein Wunder, wenn meine Freunde sagen: »Das ist nichts für mich.«

Aber so ist der christliche Glaube definitiv nicht. Und die Sache geht noch tiefer: So ist auch das Leben nicht. Das Bild mit dem »Sprung des Glaubens« geht ja davon aus, dass wir uns die meiste Zeit auf festem Boden befinden, wo wir keinen Glauben brauchen. Wir folgen der Wissenschaft und unserem Verstand und dem, was man unter Laborbedingungen nachweisen kann. Die meisten Menschen haben in ihrem Leben den festen Boden beweisbarer Fakten unter den Füßen, während ein paar von der »religiösen« Sorte an eine unbewiesene höhere Wirklichkeit glauben. Und genau dies ist das große Problem mit dem »Sprung des Glaubens«. Ein solcher Sprung, er könnte nicht weiter von der Wahrheit entfernt sein.

Wenn Sie der Argumentation dieses Buches gefolgt sind, werden Sie feststellen, dass wir alle in schwindelerregenden Höhen leben. Die Christianisierung unserer Welt war der historische große »Sprung des Glaubens« . Mit den Werten, die wir für selbstverständlich halten, sind wir alle nicht unten auf dem Erdboden, sondern zehn Kilometer hoch in den Wolken! Kaum einer von uns bringt es fertig, auf dem »Boden der Tatsachen« zu leben und seine Mitmenschen und sich selbst wie raffinierte, kleine Affen zu behandeln. Unsere grundlegenden Einstellungen, Werte und Ziele gehen davon aus, dass wir und unsere Mitmenschen hoch bedeutsame moralische Wesen sind. Wir behandeln einander (oder finden jeweils, dass wir uns so behandeln sollten) als Träger einer Würde, die sich nicht beweisen und nicht verdienen lässt. Wir glauben es einfach.

Nach dem Philosophen Larry Siedentop hat das Christentum uns gelehrt, »auf die moralische Gleichheit der Menschen zu setzen«[165]. Anders ausgedrückt: Wir begeben uns in diese Welt auf der Grundlage ganz bestimmter Dinge, die wir über uns selbst und über unsere Mitmenschen glauben. Und das ist immer ein Wagnis, denn es kann passieren, dass ich eine andere Person mit höchstem Respekt behandele, und die revanchiert sich, indem sie mich wie einen raffinierten, kleinen Affen behandelt. Aber ich gehe das Wagnis ein. Ich lebe im Glauben. Und Sie auch.

Wenn Sie sagen: »Ich habe aber keinen Glauben«, dann nehme ich Ihnen das nicht ab. Denn es geht beim Glauben nicht nur um Menschenrechte und moralische Gleichheit, es geht um die ganzen sieben »seltsamen« Werte, die wir untersucht haben, und um noch viel mehr. Wir alle sind bereits Glaubende. Wir brauchen keinen »Sprung des Glaubens« zu tun; den hat unsere Kultur bereits vollzogen, und es war ein gewaltiger Sprung. Nein, was wir wirklich brauchen, ist fester Boden unter den Füßen.

Wie findet man diesen Boden? Ein guter erster Schritt wäre eine Begegnung mit Ihrem Schöpfer. (Keine Sorge, es ist nicht das, was Sie gerade denken.) Sie glauben vielleicht noch nicht, dass Jesus *Sie* erschaffen hat, aber vielleicht haben Sie gemerkt, dass er durch das Auf und Ab der Weltgeschichte hindurch der Schöpfer Ihres moralischen Universums ist. Und daher mein Rat: Suchen Sie ihn. Nehmen Sie sich die Zeit, die Evangelien (also die Biografien Jesu, die Sie als Matthäus-, Markus-, Lukas- und Johannesevangelium in der Bibel finden) gründlich durchzulesen; es könnte sein, dass Sie in Jesus eine Kraft spüren, die wahrer und tiefer ist als alle Werte, die Sie hochhalten – eine Barmherzigkeit und eine Liebe, die viel mehr sind als die Mitmenschlichkeit und Liebe, an die Sie glauben.

Stellen Sie sich bei dieser Ihrer Begegnung mit dem Jesus der Evangelien zwei Fragen – eine, die den ganzen Kosmos betrifft, und eine persönliche.

Wer ist Jesus auf der *höchsten, der kosmischen* Ebene? Nur eine weitere historische Figur oder vielleicht mehr? Könnte es sein, dass er der »Menschensohn« und der »Sohn Gottes« ist, also der Inbegriff der Menschlichkeit *und* des Göttlichen? Könnte es sein, dass Jesus das ist, was Gott ist – der Herr über diese Welt?

Und jetzt fragen Sie weiter: Wer ist Jesus für mich *persönlich*? Ist er vertrauenswürdig? Kann ich ihm mehr vertrauen als mir selbst? Könnte ich dieses Vertrauen vielleicht sogar als beglückende Kapitulation betrachten oder als großartiges Abenteuer oder als ein Nach-Hause-Kommen? Denn das bedeutet es ja, Jesus als »Herrn« für mich persönlich zu kennen.

Und all das ist keine Aufforderung zum »Sprung ins Ungewisse«, sondern eher zum »Boden-Gewinnen«. Jesus Christus ist für unzählige Menschen zum festen Fundament geworden. Er ist ein fester Fels, auf dem man sicher steht.

An die ehemals Religiösen: Gehen Sie nicht!

Wenn Sie ein »Ehemaliger« sind, haben Sie den Eindruck, das Christentum hinter sich zu haben. Sie kennen sich aus mit dem Glauben. Sie haben sich damit beschäftigt, und es hat Ihnen nicht gefallen. Vielleicht haben Sie sich eine Zeit lang in der Gemeinde engagiert, aber Sie haben sie verlassen oder haben vor, das zu tun. Wenn das so ist, dann danke ich Ihnen zunächst einmal, dass Sie dieses Buch in die Hand genommen und bis hierher gelesen haben. Ich darf Ihnen versichern, dass ich Ihre Kritik an der »Institution Kirche« gut verstehen kann. Aufrichtigen Christen sollte vieles auffallen, was zu kritisieren ist, und mir geht es nicht anders.

Lassen Sie mich ein paar der gängigen Vorwürfe nennen, die man der Kirche macht. Ich formuliere sie bewusst in der ersten Person, weil auch Christen mit diesen Dingen ringen. *Aber* (und es wird Sie nicht überraschen, dass ich das jetzt schon zum x-ten Mal sage): Wir ringen mit ihnen *aus christlichen Gründen.*

Wenn ich all die Kriege und die Gewalt im Alten Testament (oder in den 2000 Jahren Kirchengeschichte) nicht ertragen kann, dann wahrscheinlich deshalb, weil ich die Lehren von jemandem verinnerlicht habe, der gesagt hat: »Steck dein Schwert weg!«

Wenn es mich angesichts der alten israelitischen Praxis der Sklaverei schaudert, dann fast mit Sicherheit deswegen, weil ich aus der Bibel etwas über Erlösung, Freiheit und Gleichheit gelernt habe.

Wenn mich der nächste Missbrauchsskandal in der Kirche erschüttert, stehe ich damit *an der Seite* Christi und gegen den Missbrauch von Sex und Macht, der in den menschlichen Kulturen so allgegenwärtig ist.

Wenn ich entsetzt bin über Fälle, in denen die Kirche Minderheiten schlecht behandelt, zeigt dies, dass ich den Schwachen, Armen und Unterdrückten einen Wert zumesse, der heilig (und definitiv christlich) ist.

Wenn ich den Eindruck habe, dass die Kirche sich auf der falschen Seite der Geschichte befindet, zeigt dies, dass ich eine solide biblische Sicht von Geschichte und Fortschritt habe.

Wenn ich den tyrannischen Kolonialismus hasse, der zeitweise das Wachstum der Kirche begleitet hat, zeigt dies, dass ich Ja sage zu Idealen, die zutiefst christlich sind: dass Herrscher dienen und nicht unterdrücken sollten und dass man Unterschiede wertschätzen und nicht einebnen sollte.

Ich könnte noch viele andere Beispiele nennen.

Die Liste der Verbrechen von Christen ist lang. Aber beachten Sie, was geschieht, wenn ich diese berechtigten Klagen auf den Tisch lege: Ich ziehe Institutionen und ihre Machtausübung vor einer höheren Instanz zur Verantwortung – ein definitiv biblischer Impuls. Und weiter: Ich bekenne mich im Namen des institutionellen Christentums zu dieser Schuld – wieder etwas zutiefst Christliches. Doch das Allerwichtigste ist, dass ich uns auffordere, Beurteilungsmaßstäbe anzuwenden, die spezifisch »christusartig« sind. Ich halte Jesus als die »gerade Linie« hoch, an der wir alles messen, was krumm ist. Wo Böses in der Kirche aufgedeckt und verurteilt wird, ist dies nicht antichristlich! Radikale Reform und immer neue Umkehr sind Kennzeichen eines echten Christentums.

John Dickson verwendet das Beispiel eines Liedes und der Menschen, die es singen. Jesus hat der Welt ein wunderbares Lied geschenkt. Seine Leute haben es oft falsch gesungen; manchmal waren gerade die Stimmen der Christen die dissonantesten. Aber das ändert nichts daran, dass es ein gutes und schönes Lied ist, und wenn Sie es je richtig gesungen gehört haben, wird es Ihnen nicht mehr aus dem Kopf gehen.

Lori Anne Thompson war vielleicht das prominenteste Opfer des bekannten Evangelisten Ravi Zacharias. Er hatte so geschickt ein Doppelleben geführt, dass noch bei seiner Beerdigung US-Vizepräsident Mike Pence ihn den »größten christlichen Apologeten dieses Jahrhunderts« nannte. Zacharias hatte jahrzehntelang einem schlimmen sexuellen, religiösen und finanziellen Missbrauch gefrönt. Als Lori Anne Thompson offenlegte, wie er sie missbraucht hatte, wollte ihr erst keiner glauben. Es dauerte Jahre, bis hartnäckige Recherchen von außerhalb der Gemeinde die finstere Wahrheit ans Licht brachten. Der Verrat, den Thompson empfand, war erschütternd, wie sie 2021 in ihrer Opferaussage erklärte:

> Schon bevor ich Ravi Zacharias kennenlernte, hatte ich gewusst, dass die Welt gefährlich ist, aber ich hatte doch die Hoffnung, dass es ein paar Orte der Zuflucht und Heiligkeit geben würde. Diese Hoffnung

> habe ich heute nicht mehr. Ich vertraute Zacharias. Ich vertraute den Christen. Dieses Vertrauen ist irreparabel zerbrochen. Ich glaube immer noch an Christus, selbst wenn er nicht die Wahrheit sein sollte, weil er für die höchste Ethik steht, die ich finden kann. Sie (die religiöse Elite) hat ihn ausgezogen, gnadenlos geschlagen, auf das Übelste beschimpft und öffentlich ans Kreuz geschlagen.[166]

Hier ist eine Frau, die von christlichen Leitern und Institutionen völlig im Stich gelassen wurde. Aber sie kann das Lied nicht vergessen. Man kann ihm nicht entrinnen. Wenn es möglich ist, Christus gerade dann zu begegnen (ja, besonders intensiv zu begegnen), wenn uns die Menschen, die ihm angeblich nachfolgen, anwidern und abweisen, dann dürfen wir mit einem alten Psalmvers fragen: »Wohin sollte ich gehen, um dir zu entkommen?« (Ps 139,7; NeÜ). Wie Thompson bei anderer Gelegenheit sagte: »Ich kann an der Person Christi nichts Falsches und Unwahrhaftiges finden … Das Christentum hat Flüchtlinge geschaffen; Christus hat sie aufgenommen.«[167]

Der Weg nach vorne sieht hier ähnlich aus wie bei den »Unreligiösen«: Lesen Sie die Evangelien und hören Sie das Lied neu. Doch gleichzeitig gilt es, das Vertrauen in die Gemeinde wiederherzustellen. Wir können nicht nur von der Erinnerung an eine Melodie leben; wir brauchen Menschen, die sie uns vorsingen, ja, die sie verkörpern und vor uns ausleben. Doch die Hauptverantwortung für die Wiederherstellung von Vertrauen liegt bei der Gemeinde selbst, und so möchte ich mit einem Wort an die »Frommen« enden.

An die Frommen: Seien Sie anders!

Jesus hat sich nie Sorgen wegen der Größe oder der Erfolgsaussichten seiner Bewegung gemacht. Als er die Bergpredigt hielt, waren seine Anhänger eine kleine, unscheinbare Schar, und es würde nicht mehr lange bis zu seinem schmachvollen Tod am Kreuz dauern, aber sein Glaube, dass seine Sache die Welt erobern würde, war unerschütterlich. Jesus ging es nicht so sehr darum, dass seine Gemeinde wuchs (er wusste, dass sie das tun würde), sondern dass sie *anders* war als die Welt.

> Ihr seid das Salz der Erde. Wenn das Salz aber seine Wirkung verliert, womit soll man es wieder salzig machen? Es taugt zu nichts anderem mehr, als auf den Weg geschüttet und von den Leuten zertreten zu werden.
>
> Ihr seid das Licht der Welt. Eine Stadt, die auf einem Berg liegt, kann nicht verborgen bleiben. Man zündet doch nicht eine Lampe an und stellt sie dann unter einen Kübel. Im Gegenteil: Man stellt sie auf den Lampenständer, damit sie allen im Haus Licht gibt. So soll euer Licht unter den Menschen leuchten: Sie sollen eure guten Werke sehen und euren Vater im Himmel preisen. (Mt 5,13-16; NeÜ)

Salz und Lampen mögen uns unbedeutend erscheinen, aber beide haben eine weitreichende Wirkung. So ist es auch bei der christlichen Gemeinde. So wie Salz Fleisch haltbar macht (dazu wurde es in der Antike benutzt), so bewahrt die Gemeinde Jesu die Welt vor dem Verderben. Und so wie eine Lampe ein Haus erhellt, leuchtet die Kirche in die Welt und macht sie heller. Aber aufgepasst: Salz und Licht haben ihre Wirkungen nur deshalb, weil sie *anders* sind als ihre Umgebung. Salz muss salzig sein und Licht hell. Salz, das fade geworden ist, ist nutzlos, ebenso eine Lampe, die man unter einen Eimer stellt. Und genauso wichtig ist es für die christliche Gemeinde, sich zu unterscheiden. Sie darf nicht wie das Fleisch werden, sie darf nicht wie die Dunkelheit werden.

Ich betone dies am Ende dieses Buches, weil das, was ich in ihm gesagt habe, leicht missverstanden werden kann. Nach zehn Kapiteln über den tiefen Einfluss, den das Christentum auf die Welt gehabt hat, mag mancher Leser vielleicht denken: »Die Welt ist so ziemlich das Gleiche wie die Kirche, und umgekehrt.« (Was absolut nicht stimmt.) Oder sogar: »Die Kirche sollte so sein wie die Welt, damit ihr Einfluss nicht geringer wird.« (Wieder falsch.) Solche Schlussfolgerungen zeigen, dass wir nicht verstanden haben, *wie* die Kirche im Laufe der Jahrhunderte in die Welt hineingewirkt hat. Die Gemeinde Jesu hat die Welt dort am meisten verändert, wo sie sich am meisten von ihr unterschieden hat. Wer in der Spätantike gegen die großen Übel in der Gesellschaft (Gladiatorenspiele, Säuglingsmord, Päderastie oder Sklaverei) anging, galt als verrückt, und die Predigten und die Theologie der alten Kirche, die hinter ihrem Nein zu diesen Übeln stand, wurden als noch verrückter empfunden. Aber diese Christen ließen unverdrossen ihr »Licht unter den Menschen leuchten«, und ihr Anderssein veränderte die Welt.

Dieses Buch ist ein Aufruf an die Christen und Gemeinden, ihrer Berufung, anders zu sein, zu folgen. In der Einleitung haben wir die »seltsamen« Werte vorgestellt, die für die modernen Gesellschaften typisch sind: westlich, gebildet, industrialisiert, reich und demokratisch. Diese Gesellschaften sind stark von einer bestimmten Art von Christentum geprägt. Ja, die Kultur, in der wir leben, ist »seltsam«. Aber am Ende dieses Buches möchte ich die Gemeinde dazu aufrufen, diese »seltsamen« Werte *auf die richtige Art* vorzuleben, also konsequent »anders« zu sein.

Eine »seltsame« Gesellschaft sagt, dass sie an Gleichheit glaubt. Eine Gemeinde, die konsequent anders ist, wirkt für Versöhnung und Einheit, indem sie Menschen *jeder* Herkunft und Prägung in die Nachfolge Christi ruft. Eine »seltsame« Gesellschaft sagt, dass sie an Barmherzigkeit glaubt. Eine Gemeinde, die konsequent anders ist, engagiert sich mit aller Kraft für die Liebe. Eine »seltsame« Gesellschaft sagt, dass sie an die Freiheit glaubt. Eine Gemeinde, die konsequent anders ist, nutzt ihre Freiheiten, um zu dienen. Eine »seltsame« Gesellschaft sagt, dass sie an bestimmte Werte glaubt. Eine Gemeinde, die konsequent anders ist, betet den Christus an, zu dem diese Werte gehören.

Hier ist viel Weisheit nötig, um die christianisierten Werte einer »seltsamen« Kultur von dem Original, dem wahren Christentum, zu unterscheiden. Das »echte« Christentum klingt der christianisierten Kultur mal zu »links«, mal zu »rechts« in den Ohren. Der amerikanische Pastor und Autor Timothy Keller hat in einem Artikel, der Forschungsergebnisse des Neutestamentlers Larry Hurtado aufnimmt, darauf hingewiesen, dass die christlichen Gemeinden des 1. Jahrhunderts ethnisch gemischt und so radikal freigebig waren, dass die Glieder zeitweise ihren ganzen Besitz in einen Gemeinschaftsfonds überführten.[168] Damit stünden sie in unserem heutigen politischen Spektrum ziemlich weit »links«. Doch genauso entschieden waren sie gegen Abtreibung und Infantizid, und Sex gab es nur innerhalb der Ehe zwischen einem Mann und einer Frau – Positionen, die man heute eindeutig »rechts« nennen würde.

Diese Kombination fiel den Leuten damals schon auf. Sie fanden, dass diese Christen großzügig im Spenden und Helfen, aber sehr restriktiv in ihrem Sexleben waren. Ihr Geld teilten sie mit allen – ihre Körper nicht. Es waren Positionen, die quer zu allen Zuordnungen lagen, und dies ist heute nicht anders. Es war schwierig, die Christen in eine politische Schublade zu schieben, weil sie kein politisches Programm verfolgten. Sie orientierten sich nicht nach links oder rechts, sondern strikt nach oben; sie folgten dem Ruf Jesu Christi.

Und das ist der Ruf, dem wir Christen auch heute folgen müssen – ein Ruf, den wir in diese Welt tragen müssen. Die Verkündigung Christi, sein Tod und seine Auferstehung haben ihre außerordentliche Kraft bewiesen. Mag sein, dass sich die Gemeinde im postmodernen säkularisierten Westen großen Problemen gegenübersieht, aber ähnliche Probleme hat es in ihrer Geschichte schon oft gegeben. 1925 wies der Schriftsteller und Christ G. K. Chesterton darauf hin, dass die Kirche in ihrer Geschichte schon mehrere Male »allem Anschein nach vor die Hunde gegangen« war, aber immer »war es [...] der Hund, der starb«[169]. Wie ist das möglich? Hören wir wieder Chesterton: »Das Christentum ist viele Tode gestorben und wiederauferstanden, besaß es doch einen Gott, dem der Weg aus dem Grab vertraut war.«[170]

Das Königreich Christi ist einzigartig, und zwar nicht nur in seiner beispiellosen Größe und Dauer. Es unterscheidet sich auch dadurch, dass andere Reiche aufsteigen und irgendwann fallen und verschwinden – das Reich Christi hat schon viele Niedergänge und Wiederaufstiege erlebt. Es hat dort immer wieder »Ebbe« und »Flut« gegeben, und immer in dieser Reihenfolge. Wem die gegenwärtige Ebbe Sorgen macht, der findet in der Vergangenheit des Christentums immer wieder Situationen, in denen es aus zu sein schien – und dann kam die nächste Erweckung, von der wir heute noch lernen können. Aber wir brauchen nicht nur zurückzuschauen, auch in der Gegenwart können wir staunend entdecken, wie rasant die Gemeinde Christi heute wächst.

Das renommierte *Pew Research Center* (ein Meinungsforschungsinstitut in den USA) prognostiziert, dass im Jahr 2060 das Christentum nach wie vor die größte Religion in der Welt sein wird; sein prozentualer Anteil an der Weltbevölkerung wächst ständig weiter, während der Anteil des Atheismus, des Agnostizismus und der »Unreligiösen« von 16 % auf 13 % sinken wird. Dabei wird die Weltkirche immer »östlicher« und »südlicher« werden; es könnte sein, dass um 2060 40 % der Weltchristenheit in Afrika leben und die Hälfte Chinas christlich geworden ist.[171] Dies sind hoch bedeutsame Entwicklungen (nicht zuletzt wegen der Größe und des Gewichtes Chinas). Wir sehen: Wenn es um die Zukunft der Jesus-Bewegung geht, kann es sehr Mut machend sein, den Blick zu erheben und zu schauen, wie das Christentum weltweit wächst.

Aber neben dem Blick zurück in die Geschichte und dem Blick über den Tellerrand hinaus in die Welt brauchen wir vor allem den Blick *nach oben* – zu dem, dem der Weg aus dem Grab vertraut ist. Wir brauchen uns keine Sorgen über die Größe der Gemeinde Jesu oder ihre Zukunftsaussichten zu machen. Wir brauchen auch keine Macht-Träume, als wären *wir* diejenigen, die die Geschichte schreiben. Vertrauen wir einfach dem König des Reiches Gottes und lassen wir sein unverwechselbares Licht hinaus in die Welt leuchten. Die Zukunft liegt weder in unseren Händen noch in denen der Mächtigen, der Populären oder der Widerspenstigen. Die Herrschaft liegt auf Christi Schultern und auf der Verheißung:

> Auf diesen Felsen will ich meine Gemeinde bauen, und die Pforten der Hölle sollen sie nicht überwältigen. (Mt 16,18; LUT)

Anmerkungen

Einleitung

1 A. d. V.: George Floyd wurde am 25. Mai 2020 in Minneapolis im US-Bundesstaat Minnesota durch einen weißen Polizeibeamten getötet. Sein Hilferuf »I can't breathe« (wörtlich: »Ich kann nicht atmen«) wurde zum weltweit bekannten Slogan.

2 »Im Jahr 2010 lebte ca. ein Viertel der Christen in der Welt in Europa (26 %), ein Viertel in Lateinamerika und der Karibik (25 %) und ein Viertel in Schwarzafrika (24 %). Einen signifikanten Anteil von Christen gibt es auch in Asien und dem Pazifikraum (13 %) sowie in Nordamerika (12 %).« The Pew Research Center: The Future of World Religions: Population Growth Projections, 2010–2050, https://www.pewforum.org/2015/04/02/christians/ (Zugriff am 25. Oktober 2021). Siehe auch Antonia Blumberg, »China on Track to Become World's Largest Christian Country by 2025, Experts Say«, Huffpost, 22. April 2014, http://www.huffingtonpost.com/2014/04/22/china-largest-christian country_n_5191910.html (Zugriff am 25. Oktober 2021).

3 *Communities of Faith in Africa and the African Diaspora*, ed. Casely B. Essamuah und David K. Ngaruiya (Pickwick Publications, 2014), S. 321.

4 A. d. V.: Der Originaltitel von Joseph Henrichs einflussreichem Buch *Die seltsamsten Menschen der Welt* lautet: *The WEIRDest People in the World*, wobei es sich dabei um ein Wortspiel mit dem englischen Adjektiv *weird* handelt, das auf Deutsch *seltsam* beziehungsweise *eigenartig* bedeutet und zugleich ein Akronym ist: WEIRD steht für englisch *western* (westlich), *educated* (gebildet), *industrialized* (industrialisiert), *rich* (wohlhabend, reich) und *democratic* (demokratisch). https://de.wikipedia.org/wiki/WEIRD, (Zugriff am 4. August 2023).

Kapitel 1 – Die Lange Nacht vor Weihnachten

5 https://twitter.com/sannewman/status/874624753092489216?=20. (Zugriff am 2. November 2021)

6 Marcus Tullius Cicero, *Speech before Roman Citizens on Behalf of Gaius Rabirius, Defendant Against the Charge of Treason*, ed. William Blake Tyrell. http://www.perseus.tufts.edu/hopper/text?doc=

Perseus%3Atext%3A1999.02.0023%3Achapter%3D5%3Asection%3D16. (Zugriff am 28. Oktober 2021.)

7 Tacitus, *Annalen* (Nördlingen: Greno, 1987), XV 44 (= S. 572).

8 Tacitus nennt sie die »Hinrichtung nach Sklavenbrauch«. Tacitus, *Historien* (Deutsche Gesamtausgabe, Stuttgart: Kröner, 3. Aufl. 2018), Buch 4, Kap. 11 (= S. 201).

9 Marcus Tullius Cicero, *Die Reden gegen Veres.* In C. Verrem, Lateinisch – deutsch, Bd. II (Zürich: Artemis & Winkler, 1995), 5. Buch, Abschnitt 169 (= S. 595). Wörtlich spricht Cicero von »der äußersten und härtesten Strafe der Knechtschaft«.

10 Ebd., 5. Buch, Abschnitt 170 (= S. 595).

11 Tacitus, »The Murder of Pedanius Secundus«, https://faculty.tnstate.edu/tcorse/H1210revised/tacitus.html. (Zugriff am 27. Oktober 2021.)

12 »The Writings of Phileas the Martyr describing the occurrences at Alexandria«, https://www.ccel.org/ccel/schaff/npnf201.iii.xii.xi.html?scrBook=Phil&scrCh=2&scrV=6#highlight . (Zugriff am 27. Oktober 2021.)

13 Larry Siedentop, *Die Erfindung des Individuums. Der Liberalismus und die westliche Welt* (Stuttgart: Klett-Cotta, 2015), S. 58.

14 Enuma Elisch 29–34. http://www.usu.edu/markdamen/ANE/lectures/10.1.pdf . (Zugriff am 29. Oktober 2021)

15 Atrahasis Tafel 1, https://geha.paginas.ufsc.br/files/2017/04/Atrahasis.pdf . (Zugriff am 29. Oktober 2001)

Kapitel 2 – Gleichheit

16 *The Big Questions*, BBC1, Series 14, Episode 1. Ausgestrahlt am 17. Januar 2021.

17 *Good Morning Britain*, ITV1, 18. Januar 2021. https://www.itv.com/goodmorningbritain/articles/lord-sumption-expands-on-his-cancer-patients-lives-are-less-valuable . (Zugriff am 1. November 2021.)

18 Yuval Noah Harari, *What Explains the Rise of Humans*, Ted Talks, London 2015. https://www.ted.com/talks/yuval_noah_harari_what_explains_the_rise_of_humans/transcript . (Zugriff am 27. Oktober 2021.)

19 »Sam Harris & Jordan Peterson in Vancouver – Part 2«. Debatte am 24. Juni 2018. https://www.youtube.com/watch?v=GEf6X-FueMo . (Zugriff am 29. Oktober 2021.)

20 Zitiert in: T. R. Glover, *The Conflict of Religions in the Early Roman Empire.* https://www.gutenberg.org/files/39092/39092-h/39092-h.htm. (Abschnitt 244). (Zugriff am 29. Oktober 2021.)

21 Zitiert in: Larry Siedentop, *Die Erfindung des Individuums*, S. 90.

Kapitel 3 – Barmherzigkeit

22 Aus einer Zusammenfassung der Lehren Platos von Darrel W. Amundsen in: »Medicine and the Birth of Defective Children: Approaches of the Ancient World«, in: Stephen E. Lammers und Allen Verhey (Hg.), *On Moral Medicine: Theological Perspectives in Medical Ethics* (Eerdmans, 1998), S. 682.

23 Platon, *Der Staat* (Stuttgart: Reclam, 2000), S. 258 (= 5. Buch, § 460c).

24 Aristoteles, *Politik* (Stuttgart: Reclam, 1989), S. 364 (=7. Buch, § 1335b).

25 Soranus von Ephesus (98–138) schrieb ein Kapitel »Über die Pflege des Neugeborenen«, das mit dem Abschnitt »Wie man erkennt, dass ein Neugeborenes es wert ist, aufgezogen zu werden« beginnt. Siehe seine *Gynecology* (übers. von Owsei Temkin, Johns Hopkins University Press, 1991), S. 79.

26 Friedrich Nietzsche, *Der Fall Wagner. Götzen-Dämmerung. Der Antichrist. Ecce homo. Dionysos-Dithyramben. Nietzsche contra Wagner, krit. Studienausgabe*, hg. von Giorgio Colli und Mazzino Montinari (München: dtv, Berlin: de Gruyter), S. 173 (= § 7).

27 Ebd., S. 170 (= § 2).

28 Ebd.

29 Ebd., S. 171 (= § 5).

30 Friedrich Nietzsche, *Die Geburt der Tragödie* (Stuttgart: Reclam, 2020), S. 12.

31 Zitiert in: Tom Holland, *Herrschaft. Die Entstehung des Westens* (Stuttgart: Klett-Cotta, 2021), S. 553.

32 Rowan Williams, *Tokens of Trust: An Introduction to Christian Belief* (Canterbury Press, 2007), S. 68.

33 Die *Elberfelder Übersetzung* formuliert hier, dem Urtext folgend: »innerlich bewegt«. Neuere Übersetzungen verwenden »Mitleid« oder »Mitgefühl«. (Anm. d. Übers.)

34 Larry Hurtado, Destroyer of the Gods (Baylor University Press, 2017), S. 64f.

35 David Bentley Hart, *Atheist Delusions* (Yale University Press, 2020), S. 30.

36 Larry Siedentop, *Die Erfindung des Individuums*, S. 103f.

37 Zitiert in: John Dickson, *Bullies and Saints* (Zondervan, 2021), S. 191.

38 Hart, *Atheist Delusions*, S. 30.

39 »In Memoriam A. H. H.« (1850).

40 Zitiert in: Alvin J. Schmidt, *Wie das Christentum die Welt veränderte* (Gräfelfing: Resch-Verlag, 2009), S. 70.

41 Zitiert in: Phillip Schaff, *History of the Christian Church*, § 95. https://www.ccel.org/ccel/schaff/hcc2.v.x.viii.html . (Zugriff am 30. Oktober 2021.)

42 John Dickson, *Bullies and Saints*, S. 33–36 und 74–76.

Kapitel 4 – Freiwilligkeit

43 »Read Rachael Denhollander's Full Victim Impact Statement about Larry Nassar«, CNN, 30. Januar 2018. https://edition.cnn.com/2018/01/24/us/rachael-denhollander-full-statement/index.html . (Zugriff am 10. November 2021.)

44 »Laut Statistik führen ganze 1,5 % aller Vergewaltigungsfälle zu Anklagen oder Gerichtverfahren.« The Guardian, 26. Juli 2019. https://www.theguardian.com/law/2019/jul/26/rape-cases-charge-summons-prosecutions-victims-england-wales . (Zugriff am 30. Oktober 2021.) *Seite nicht mehr aufrufbar!*

45 American Philosophical Society, *The Slave Systems of Greek and Roman Antiquity* (William Linn Westermann, 1957), S. 100.

46 Zitiert in: Tom Holland, *Herrschaft* (Stuttgart: Klett-Cotta, 2021), S. 110.

47 Kyle Harper, *From Shame to Sin* (Harvard Univ. Press, 2016), S. 3.

48 Ebd., S. 49.

49 Ebd., S. 8.

50 Ebd.

51 Ebd., S. 56.

52 Joseph Henrich, *The Weirdest People in the World* (Penguin, 2020), S. 167.

53 Tom Holland, *Herrschaft*, S. 110f.

54 Joseph Henrich, *Die seltsamsten Menschen der Welt* (Berlin: Suhrkamp, 2022), S. 357.

55 Kyle Harper, *From Shame to Sin*, S. 163.

56 Joseph Henrich, *Die seltsamsten Menschen der Welt*, S. 236.

57 Ebd., S. 371.

58 Ebd., S. 371ff.

59 Ebd., S. 380.

60 Origenes, *Contra Celsum – Gegen Celsus*, Buch 3, Kap. 44. Zitiert in: Michael J. Kruger, *Christianity at the Crossroads* (IVP Academic, 2018), S. 34f.

61 Rodney Stark, in: »Jesus the Game Changer Season One – Rodney Stark Extended Interview«. https://youtu.be/3h2OnGUU1Uk,7:00. (Zugriff am 30. Oktober 2021.)

62 Larry Hurtado, *Destroyer of the Gods* (Baylor University Press, 2017), S. 167.

63 Ebd.

64 Kyle Harper, *From Shame to Sin*, S. 98.

65 Ebd., S. 13.

66 Paul Offit, *Bad Faith* (Basic Books, 2015), S. 127.

Kapitel 5 – Aufklärung

67 https://www.stuff.co.nz/auckland/local-news/northland/106654790/residents-frustrated-at-medieval-cellphone-coverage-in-the-far-north . (Zugriff am 3. November 2021.)

68 »Die benutzen ein Computer-System, das nach heutigen Begriffen geradezu mittelalterlich ist.« Beispiel für Sätze mit »mittelalterlich«, Merriam-Webster Dictionary. https://www.merriam-webster.com/dictionary/medieval . (Zugriff am 28. Oktober 2021.)

69 »Taliban Give the Word Medieval A Bad Name«, Douglas Murray, The Sun, 13. Juli 2021. https://www.thesun.co.uk/news/15586446/douglas-murray-taliban-government . (Zugriff am 28. Oktober 2021.)

70 Twitter, @kgoatlapa, 26. Juli 2014. https://twitter.com/kgoatlapa/status/492963576995672065

71 »How amoral Love Island is taking us back to the Dark Ages«, Sarah Vine, Daily Mail, 22. August 2021. https://www.dailymail.co.uk/debate/article-9915397/SARAH-VINE-amoral-Love-Island-taking-Dark-Ages.html. (Zugriff am 3. November 2021.)

72 »Love, courage, and solidarity: 20 essential lessons young athletes taught us this summer«, Sirin Kale, The Guardian, 5. August 2021. https://www.theguardian.com/sport/2021/aug/05/20-essential-lessons-young-athletes-taught-us-this-summer . (Zugriff am 3. November 2021.)

73 Stewie, Family Guy, Season 8, Episode 1, 2009. https://tvshow-transcripts.ourboard.org/viewtopic.php?f=430&t=21253 . (Zugriff am 28. Oktober 2021.)

74 Thomas Paine, *The Age of Reason*, Teil I, Kap. XII. Aus: *The Writings of Thomas Paine: Volume IV*, ed. Moncure Daniel Conway (Project Gutenberg, 2001).

75 Rodney Stark, *The Rise of Christianity: How the Obscure, Marginal Jesus Movement Became the Dominant Religious Force in the Western World in a Few Centuries* (HarperSanFrancisco, 1977), S. 10.

76 Tom Holland, *Dominion* (Little, Brown, 2019), S. 214.

77 John Dickson, *Bullies and Saints* (Zondervan, 2021), S. 144.

78 Tom Holland, *Herrschaft*, S. 218.

79 Yitzhak Hen, zitiert in: John Dickson, *Bullies and Saints*, S. 150.

80 Dickson, *Bullies and Saints*, S. 152.

81 Holland, *Herrschaft*, S. 221.

82 Rodney Stark, *The Triumph of Christianity* (Bravo Ltd., 2012), S. 234.

83 Zitiert in Dickson, *Bullies and Saints*, S. 3.

84 W. Bruce Lincoln, *Red Victory: A History of the Russian Civil War* (Simon & Schuster, 1989), S. 484.

85 Holland, *Herrschaft*, S. 223.

86 Dickson, *Bullies and Saints*, S. 164f.

87 Ebd., S. 165.

88 Rodney Stark, *The Triumph of Christianity*, S. 251.

89 Kurt Aland (Hg.), *Luther Deutsch, Bd. 2* (Göttingen: Vandenhoeck & Ruprecht, 2. Aufl. 1981), S. 20.

Kapitel 6 – Wissenschaft

90 www.gutezitate.com, dort unter »Alexander Pope«.

91 Thomas Jefferson, *Brief an José Correia da Serra*, 11. April 1820.

92 Jeff Hardin, Ronald L. Numbers, Ronald A. Binzley (Hg.), *The Warfare between Science and Religion: The Idea That Wouldn't Die* (Johns Hopkins University Press, 2018).

93 Neil deGrasse Tyson, »Cosmic Perspective«, https://www.naturalhistorymag.com/universe/201367/cosmic-perspective. (Zugriff am 31. Oktober 2021).

94 Albert Einstein, *Aus meinen späten Jahren* (Stuttgart: Deutsche Verlags-Anstalt, 3. Aufl. 1984), S. 65f.

95 Steven Pinker, *Aufklärung jetzt. Für Vernunft, Wissenschaft, Humanismus und Fortschritt. Eine Verteidigung* (Frankfurt/M: S. Fischer, 5. Aufl. 2021), S. 489.

96 Aurelius Augustinus, *Bekenntnisse* (München, dtv, 1982), S. 336 (= 12. Buch, Abschnitt 7).

97 Alfred North Whitehead, *Wissenschaft und moderne Welt* (Frankfurt/M: Suhrkamp, 1988), S. 24.

98 Rodney Stark, *The Triumph of Christianity* (Bravo Ltd., 2012), S. 280.

99 Isaac Newton, »Letter from Sir Isaac Newton to Robert Hooke«, Historical Society of Pennsylvania. https://discover.hsp.org/Record/dc-9792/Description#tabnav . (Zugriff am 11. September 2021.)

100 Zitiert in: Rodney Stark, *For the Glory of God* (Princeton University Press, 2003), S. 139.

101 Maurice A. Finocchiaro, *The Warfare Between Science and Religion* (Johns Hopkins University Press, 2018), S. 33.

102 David Bentley Hart, *Atheist Delusions* (Yale University Press, 2010), S. 65.

103 Ebd., S. 66.

104 Ebd., S. 65.

105 Louis E. Van Norman, *Poland: The Knight Among Nations* (Fleming H. Revell, 1907), S. 290.

106 »Letter to Madame Christina of Lorraine, Grand Duchess of Tuscany« (1615). https://inters.org/Galilei-Madame-Christina-Lorraine. (Zugriff am 2. Februar 2022.)

107 Zitiert in: Arthur Koestler, *Die Nachtwandler. Die Entstehungsgeschichte unserer Welterkenntnis* (Suhrkamp TB Verlag, 1980), S. 534.

108 »The General Scholium to Isaac Newton's Principia mathematica«. https://isaacnewton.ca/gen_scholium/scholium.htm. (Zugriff am 2. Februar 2022).

Kapitel 7 – Freiheit

109 David Hughson, *London* (J. Stratford, 1808), S. 386.

110 Zitiert nach: https://de.wikisource.org, Rechtschreibung modernisiert. (A. d. Ü.)

111 Mehr darüber, wie unsere modernen Werte ein »säkulares Glaubensbekenntnis« darstellen, in: Rebecca McLaughlin, *Das neue Credo* (CV Dillenburg, 2023).

112 Rede in Lewistown (Illinois), 17. August 1858. https://quod.lib.umich.edu/l/lincoln/lincoln2/1:567?rgn=div1;view=fulltext . (Zugriff am 19. November 2021.)

113 Rodney Stark, *The Triumph of Christianity* (Bravo Ltd., 2012), S. 376.

114 »Natürliche Rechte sind schlichter Unsinn, natürliche und unantastbare Rechte rhetorischer Unsinn, Unsinn auf Stelzen.« (Jeremy Bentham, *Unsinn auf Stelzen. Schriften zur französischen Revolution*, hg. von Peter Niesen, Berlin: Akademie Verlag, 2013, S. 147.)

115 Yuval Noah Harari, *Eine kurze Geschichte der Menschheit* (18. Auflage, Pantheon-Ausgabe 2015), S. 139.

116 Tom Holland, *Herrschaft*, S. 413.

117 D. B. Davis, *Slavery and Human Progress* (Oxford University Press, 1986), S. 139; ders., *Inhuman Bondage: The Rise and Fall of New World Slavery* (Oxford University Press, 2006), S. 331.

118 Zitiert in: John Dickson, *Bullies and Saints*, S. 111.

119 Frederick Douglass, *Selected Speeches and Writings* (Chicago Review Press, 2000), S. 161.

120 Zitiert in: James H. Cone, *The Cross and the Lynching Tree* (Orbis, 2011), S. 133–134.

121 Rebecca McLaughlin, *Kreuzverhör: 12 harte Fragen an den christlichen Glauben* (cvmd/CV Dillenburg, 2022), S. 279.

122 Hugh Thomas, *The Slave Trade* (Simon and Schuster, 2013), S. 794.

123 Tom Holland, *Herrschaft*, S. 320.

124 Hugh Thomas, *The Slave Trade*, S. 795.

125 Frederick Douglass, »Letter to Thomas Auld«, in: Frederick Douglass, *Selected Speeches and Writings* (Chicago Review Press, 2000), S. 111.

126 Alec Ryrie, *Protestants* (Penguin, 2017), S. 196.

127 Tom Holland, *Herrschaft*, S. 443f.

Kapitel 8 – Fortschritt

128 Steven Pinker, *Aufklärung jetzt* (Frankfurt/M: S. Fischer, 2018), S. 194.

129 Ebd., S. 274.

130 Ebd., S. 277.

131 Ebd., S. 286.

132 Frank Dikotter, *Mao's Great Famine* (Bloomsbury, 2010). Zusammenfassung: http://www.frankdikotter.com/books/maos-great-famine/ . (Zugriff am 31. Oktober 2021.) (A. d. Ü.: Deutsche Ausgabe: Frank Dikötter, *Maos großer Hunger. Massenmord und Menschenexperiment in China* (1958–1962) (Stuttgart: Klett-Cotta 2014), s. dort Kapitel 37.)

133 Adolf Hitler, *Monologe im Führerhauptquartier 1941–1944. Die Aufzeichnungen Heinrich Heims*, hg. von Werner Jochmann (Hamburg: Albrecht Knaus Verlag, 1980), S. 357 (= Nr. 171).

134 *Hitler's Table Talk 1941–1944*, Hrsg. Gerhard L. Weinberg und H.R. Trevor-Roper, (Enigma Books, 2007), S. 472–473.

135 Richard Weikart, *Hitler's Religion* (Regnery History, 2016), S. 131.

136 Aus einer Rede Hitlers in München, 12. April 1922. Zitiert in: Joachim Fest, *Hitler. Eine Biographie* (Frankfurt/M: Propyläen, 1973), S. 220f.

137 Vgl. Alec Ryrie, *Protestants* (Penguin, 2017), S. 275.

138 Zitiert in: Doris Bergen, *Twisted Cross* (University of North Carolina Press, 1996), S. 205.

139 Zitiert in: Peter Matheson (ed.), *The Third Reich and the Christian Churches* (T.&T. Clark, 1981), S. 6.

140 Alec Ryrie, *Protestants*, S. 266.

141 Paul Gordon Lauren, *The Evolution of International Human Rights* (University of Pennsylvania Press, 2003), S. 149.

142 Alec Ryrie, *What Would Jesus Do? Christian Culture Wars in the Modern West*, Lecture: April, 14th 2016. https://www.gresham.ac.uk/lecture/transcript/download/what-would-jesus-do-christian-culture-wars-in-the-modern-west . (Zugriff am 31. Oktober 2021.)

143 Ebd.

144 Alec Ryrie, »Our Dangerous Devotion to the Second World War«, History Extra. https://www.historyextra.com/period/20th-century/dangerous-devotion-second-world-war-ww2-west-alec-ryrie . (Zugriff am 31. Oktober 2021.)

145 Tom Holland, *Herrschaft*, S. 553.

146 In seiner Schrift *Der Sozi-Nazi. Fragen und Antworten für den Nationalsozialisten* (München: Eher, 1931) schreibt Goebbels wörtlich: »Gewiss ist der Jude auch ein Mensch. Noch nie hat das jemand von uns bezweifelt. Aber der Floh ist auch ein Tier – nur kein angenehmes. Und da der Floh kein angenehmes Tier ist, haben wir vor uns und unserem Gewissen nicht die Pflicht, ihn zu hüten und zu beschützen, ihn gedeihen zu lassen, damit er uns sticht und peinigt und quält, sondern ihn unschädlich zu machen. Gleich so mit dem Juden.«

147 Steven Pinker, »The False Allure of Group Selection«, Edge, 18. Juni 2012. https://www.edge.org/conversation/steven_pinker-the-false-allure-of-group-selection . (Zugriff am 2. November 2021.)

148 Zitiert in: Santwana Haldar, T. S. Eliot: *A Twenty-First Century View* (Atlantic Publishers & Distributors, 2005), S. 124.

149 Zitate aus der Allgemeinen Erklärung der Menschenrechte nach: https://unric.org/de/allgemeine-erklaerung-menschenrechte/ . (Zugriff am 16. Februar 2023.)

150 Tom Holland, »How Christianity Gained Dominion«. https://www.youtube.com/watch?v=a0xCs2EfiXA . (Zugriff am 31. Oktober 2021.)

151 Martin Luther King, *Ich bin auf dem Gipfel des Berges gewesen. Reden* (Edition Nautilus, 2016), S. 102.

Kapitel 9 – Das Königreich ohne den König

152 Antonio Garcia Martinez, »The Christ with a thousand faces«. https://www.thepullrequest.com/p/the-christ-with-a-thousand-faces. (Zugriff am 26. Januar 2022.)

153 »David Mackereth: Christian doctor loses trans beliefs case«, BBC News, https://www.bbc.co.uk/news/uk-england-birmingham-49904997 . (Zugriff am 31. Oktober 2021.)

154 Aus: Matthew Arnold, »Dover Beach«. (Übersetzung F. Lux.)

155 1851 gingen 10 Millionen der 18 Millionen Briten sonntags zur Kirche, wobei die 10 Millionen sich etwa zu gleichen Teilen auf die Gläubigen der anglikanischen Kirche und der übrigen Denominationen aufteilten. Quelle: »Religious Worship in England and Wales, Census of Great Britain, 1851«, https://archive.org/details/censusgreatbrit00mannggoog . (Zugriff am 30. Oktober 2021.)

156 P. Brierley, *UK Church Statistics* 3, 2018 Edition (ABCD Publishers, 2017).

157 »Going Off the Rails«, Spencer Klavan, Clermont Review of Books, Winter 2020, https://claremontreviewofbooks.com/going-off-the-rails . (Zugriff am 20. Oktober 2021.)

158 Jon Ronson, *In Shit-Gewittern. Wie wir uns das Leben zur Hölle machen* (Stuttgart: Tropen/Klett-Cotta, 2016), S. 63.

159 »Duty Calls«, https://xkcd.com/386/ . (Zugriff am 3. November 2021.)

160 Douglas Murray, *Wahnsinn der Massen. Wie Meinungsmache und Hysterie unsere Gesellschaft vergiften* (München: Finanzbuch Verlag, 2019), S. 237.

161 Charles Spurgeon, »The Foundation and Its Seal – a Sermon for the Times«, https://www.ccel.org/ccel/spurgeon/sermons31.xxxix.html . (Zugriff am 31. Oktober 2021.) Das Zitat geht weiter: »Werde ein ganzer Christ, und deine Freude wird vollkommen sein!«

Kapitel 10 – Suchen Sie sich Ihr Wunder aus

162 Jordan B. Peterson, *12 Rules for Life. Ordnung und Struktur in einer chaotischen Welt* (München: Goldmann, 2018), S. 179f.

163 Jordan B. Peterson Podcast S4 E8, 1. März 2021: https://youtube/2rAqVmZwqZM . (Zugriff am 1. November 2021.)

164 Peter J. Williams & Bart Ehrman, »The Story of Jesus: Are the Gospels Historically Reliable?« https://youtu.be/ZuZPPGvF_2I . (Zugriff am 27. Juli 2023).

Ein Wort zum Schluss

165 Larry Siedentop, *Die Erfindung des Individuums* (Stuttgart: Klett-Cotta, 2015), S. 77; vgl. sein ganzes 4. Kapitel.

166 Lori Anne Thompson victim-impact statement, 8. Februar 2021, https://lorianne thompson.com/2021/02/08/lori-anne-thompson-victim-impact-statement/ . (Zugriff am 14. Oktober 2021.)

167 Lori Anne Thompson, Twitter, 21. Oktober 2020. https://twitter.com/LoriAnneThomps2/status/1318942068979474432?s=20 . (Zugriff am 25. November 2021.)

168 Timothy Keller, »Five Features That Made the Early Church Unique«, The Gospel Coalition, https://www.thegospelcoalition.org/article/5-features-early-church-unique/ . (Zugriff am 14. Oktober 2021.)

169 Gilbert Keith Chesterton, *Der unsterbliche Mensch* (Bonn: nova & vetera, 2011), S. [illegible].

170 Ebd., S. 254.

171 »The Changing Global Religious Landscape«, Pew Research Center, 5. April 2017, https://www.pewforum.org/2017/04/05/the-changing-global-religious-landscape/ . (Zugriff am 2. Februar 2022.)

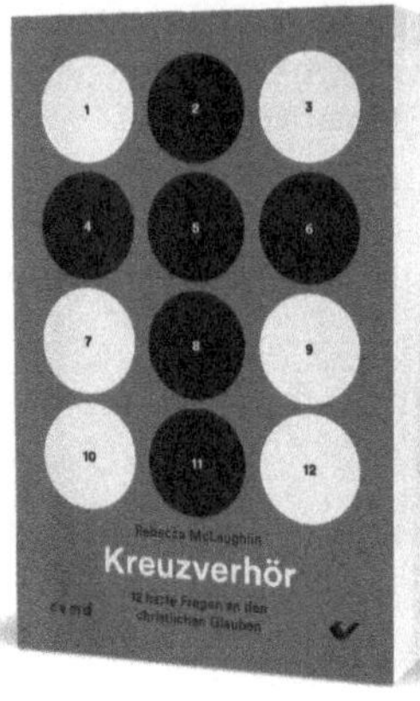

Rebecca McLaughlin
Kreuzverhör
12 harte Fragen an den christlichen Glauben
Pb., 336 S., 13,3 x 20,3 cm
Best.-Nr. 271816
ISBN 978-3-86353-816-3

Auf Grundlage aktueller Forschungsergebnisse, persönlicher Erlebnisse und sorgfältiger Bibelstudien untersucht *Kreuzverhör* kritische Fragen, die viele vom christlichen Glauben abhalten. Doch bei genauerem Hinsehen zeigt sich, dass diese scheinbaren Hindernisse zu Wegweisern auf Jesus Christus werden und zur besten Hoffnung unserer modernen Welt.

Themen u. a.:

- Fördert Religion nicht Gewalt?
- Wie kann man die Bibel wörtlich nehmen?
- Hat die Wissenschaft den christlichen Glauben nicht widerlegt?
- Ist der christliche Glaube nicht homophob?
- Wie kann ein liebender Gott so viel Leid zulassen?
- Wie kann ein liebender Gott Menschen in die Hölle schicken?

Peter J. Williams
glaubwürdig
Können wir den Evangelien vertrauen?
Pb., 160 S., 13,5 x 21 cm
Best.-Nr. 271715
ISBN 978-3-86353-715-9

Die Evangelien – Matthäus, Markus, Lukas und Johannes – sind vier Berichte über Jesu Leben und Lehre. Doch sind sie auch als historisch akkurat anzuerkennen? Welche Belege gibt es dafür, dass die aufgezeichneten Ereignisse wirklich stattgefunden haben? In dieser Argumentation für die historische Zuverlässigkeit der Evangelien untersucht der Neutestamentler Peter Williams Belege aus nichtchristlichen Quellen, bewertet den Übereinstimmungsgrad zwischen biblischen und außerbiblischen Informationen zum kulturellen Kontext der damaligen Zeit, vergleicht verschiedene Berichte desselben Ereignisses und begutachtet, wie diese Texte über die Jahrhunderte weitergegeben wurden. Jeder, vom Laien bis zum Lehrer, wird hier überzeugende Argumente dafür finden, dass die Evangelien vertrauenswürdige Berichte über Jesu irdisches Leben sind.

John Lennox
Kosmos ohne Gott?
Warum Glaube und Wissenschaft zusammengehören
Gb., 496 S.
15 x 22,5 cm
Best.-Nr. 271322
ISBN 978-3-86353-322-9

Ist gründliche wissenschaftliche Arbeit mit einem tiefen Glauben an Gott vereinbar? Prof. John Lennox untersucht die Plausibilität einer christlich-theistischen Weltanschauung im Licht von neuesten Entwicklungen in der wissenschaftlichen Diskussion. Er konzentriert sich dabei auf aktuelle Aspekte der Evolutionstheorie, Fragen nach dem Ursprung des Lebens und des Universums und auf die Konzepte von Geist und Bewusstsein. So führt er detailliert und überzeugend in die Debatte zwischen Wissenschaft und Glaube ein. Dabei macht er auch deutlich, warum er nach wie vor von einem christlichen Ansatz zur Erklärung dieser Phänomene überzeugt ist. Dieses Buch ist solide in der Argumentation und respektvoll im Ton – eine wertvolle Lektüre für jeden, der sich mit der Beziehung von Wissenschaft und Gottesglauben auseinandersetzen will.

David Gooding / John Lennox
Was ist der Mensch?
Würde, Möglichkeiten, Freiheit und Bestimmung
Gb., 400 S., 15,1 x 22,8 cm
Best.-Nr. 271651, ISBN 978-3-86353-651-0
Die Autoren analysieren das Wesen und die Grundlagen der Moral in den unterschiedlichen Weltanschauungen und weisen auf die Gefahren hin, die unsere Freiheit beschneiden.

David Gooding / John Lennox
Was können wir wissen?
Können wir wissen, was wir unbedingt wissen müssen?
Gb., 448 S., 15,1 x 22,8 cm
Best.-Nr. 271698, ISBN 978-3-86353-698-5

Gibt es eine allgemein gültige Wahrheit? Was können wir überhaupt wissen? Oder ist alles am Ende relativ? Und was hat die Frage nach Wahrheit mit Gott zu tun?

David Gooding / John Lennox
Was sollen wir tun?
Was ist das beste Konzept für Ethik?
Gb., 464 S., 15,1 x 22,8 cm
Best.-Nr. 271727, ISBN 978-3-86353-727-2

Die Autoren präsentieren die wichtigsten ethischen Theorien, vergleichen die Vorteile und Schwächen, prüfen die Grundlagen und obersten Ziele jedes Systems und seine konkreten Regeln für den Alltag.

David Gooding / John Lennox
Was dürfen wir hoffen?
Antworten einfordern – Den Schmerz des Lebens ertragen – Was ist Wirklichkeit?
Gb., 608 S., 15,1 x 22,8 cm
Best.-Nr. 271728, ISBN 978-3-86353-728-9

Wie viel Hoffnung kann eine Weltanschauung geben? Führen alle Religionen zum selben Ziel, und wie erklären sie die Welt? Wie begründet sind diese Erklärungen, halten sie einer kritischen Überprüfung stand?